DEUTSCH ALS FREMDSPRACHE

# Themen 2 *aktuell*

▶ **Glossar
Deutsch – Englisch**

**Glossary
German – English**

bearbeitet von
Alan G. Jones

Max Hueber Verlag

3.   2.   1.                     Die letzten Ziffern
2008   07   06   05   04        bezeichnen Zahl und Jahr des Druckes.
Alle Drucke dieser Auflage können, da unverändert,
nebeneinander benutzt werden.
1. Auflage 2004
Umschlagfoto: Rainer Binder, Bavaria Bildagentur, Gauting
Satz und Herstellung: Doris Hagen
Druck: Druckhaus am Kitzenmarkt
Printed in Germany
ISBN 3–19–251691-7

# A few tips on how to learn German efficiently with „Themen aktuell"

1. General tips
a) In all learning, we make mistakes. This is true of language learning, too. People who are afraid of making mistakes, and therefore say less, will learn less than those who keep on talking in spite of their mistakes.
b) You will never learn to use a language just by studying the grammar rules: practice in speaking, listening, reading and writing is essential.
c) Work regularly at home, because class time is usually not enough. The Arbeitsbuch and this Glossar will help you with individual work.
d) Arrange regular times with a partner for learning German together.

2. Vocabulary
a) Learn words in context rather than by themselves. For every word you want to learn, make up one or two example sentences.
b) Write out from each Lektion the words which you have learnt previously but have forgotten. Look them up in the alphabetical index and go back to the place where they first occurred. Then make up sentences containing these words.
c) Write out at least 10-20 sentences from the Kursbuch, leaving out one word in each sentence. Then fill in the missing word.
d) Make a card index. Fill in a card with each new word learnt, with the context but without the translation. Every two or three days, check which words you have forgotten, and put these cards into a separate box for special attention. Later, when you find you can remember the meaning of these words, return them to the main file.

3. Speaking
a) At home, make up variations on the basic dialogues and act them out with a partner.
b) Listen to the dialogues on the cassette sentence by sentence and repeat each one. Do this several times in succession.

4. Listening
a) Listen to as much German as you can, even if you do not understand everything. If you have the printed text available, you should listen without looking at it.
b) Make notes on a listening comprehension passage, and then write out a summary of what it says.

5. Reading
a) Read as much German as you can. Collect German texts.
b) Make notes about the main points of a passage, then write out a summary of it.
c) Practise at home with a partner from your class. Ask and answer questions about the text.

6. Writing
Make notes and then write a letter in German to a real or imaginary person (for example: you want to invite someone for a meal; you want to tell a friend what you did last week; you want to send greetings from a holiday ...). You could ask your teacher to correct your work.

# Lektion 1

Seite 7

hübsch   *pretty*
hässlich   *ugly*
fröhlich   *happy*
traurig   *sad*
die Bluse, -n   *blouse*
das Hemd, -en   *shirt*
die Hose, -n   *trousers*
der Rock, ¨e   *skirt*
der Hut, ¨e   *hat*
der Strumpf, ¨e   *stocking*
blond   *blonde*
schwarzhaarig   *black-haired*

Seite 8

jung   *young*
langhaarig   *long-haired*
intelligent   *intelligent*
attraktiv   *attractive*
dumm   *stupid*
freundlich   *friendly*
gemütlich   *good natured*
komisch   *strange*
sympathisch   *pleasant*
unsympathisch   *disagreeable*

Seite 9

Die Personen stellen sich vor.   *People introduce themselves.*
sich vorstellen   *to introduce oneself*
Ergänzen Sie die fehlenden Informationen.   *Supply the missing information.*
ergänzen   *to complete*
der Clown, -s   *clown*
der Koch, ¨e   *cook*
der Pfarrer, -   *parson*

das Fotomodell, -e   *photographic model*
Wer ist mit wem verheiratet?   *Who is married to whom?*
Haben Sie ein gutes Gedächtnis?   *Do you have a good memory?*
das Gedächtnis   *memory*
eine Minute lang   *for a minute*
Lesen Sie dann auf der nächsten Seite weiter.   *Read on to the next page.*
weiterlesen   *to read on*

Seite 10

rund   *round*
oval   *oval*
braun   *brown*
das Familienbild, -er   *family picture*
Den langen Hals hat er von der Mutter.   *He has his mother's long neck.*
der Hals, ¨e   *neck*
der Arm, -e   *arm*

Seite 11

gelb   *yellow*
Der neue Freund von Helga war Evas Ehemann.   *Helga's new boy-friend was Eva's husband.*
der Ehemann, ¨er   *husband*
Unterstreichen Sie die richtigen Adjektive.   *Underline the correct adjectives.*
unterstreichen   *to underline*
unsportlich   *unathletic*
elegant   *elegant*
sportlich   *athletic*

Seite 12

der Spruch, ¨e   *saying*
klug   *clever*

5

Eine rothaarige Frau hat viel
Temperament. *A red-haired*
*woman is very temperamental.*
rothaarig *red-haired*
das Temperament *temperament*
Ein schöner Mann ist selten treu.
*A handsome man is seldom*
*faithful.*
selten *seldom*
treu *faithful*
die Sorge, -n *problem*
Eine intelligente Frau hat Millionen
Feinde. *An intelligent woman has*
*millions of enemies.*
die Million, -en *million*
der Feind, -e *enemy*
Stille Wasser sind tief. *Still waters*
*run deep.*
still *still*
das Wasser *water*
Ein bescheidener Mann macht selten
Karriere. *A modest man seldom*
*makes a good career.*
bescheiden *modest*
die Karriere, -n *career*
wahr *true*
der Unsinn *nonsense*
das Vorurteil, -e *prejudice*
Bei uns sagt man: ... *We say ...*
bei uns *in our country*

## Seite 13

der Modetip, -s *fashion tip*
Leserinnen finden ihren Stil. *Readers*
*find their own style.*
die Leserin, -nen *woman reader*
der Stil, -e *style*
vorher *before*
nachher *after*
der / die Postangestellte, -n (ein
Postangestellter) *post office worker*

das Haar, -e *hair*
dezent *discreet*
Wir waren der Meinung: ... *We were*
*of the opinon: ...*
die Meinung, -en *opinion*
Anke hat zu wenig Mut zur Farbe.
*Anke is too cautious when it comes*
*to colours.*
zu wenig *too little*
der Mut *courage*
konservativ *conservative*
Auch die langweilige Frisur steht ihr
nicht. *Neither does the boring hair*
*style suit her.*
die Frisur, -en *hair style*
stehen *to suit*
modisch *fashionable*
... dazu eine grüne Jacke und ...
*... also a green jacket and ...*
dazu *in addition*
Jetzt trägt sie keine Brille mehr. *Now*
*she does not wear spectacles any*
*more.*
mehr *more*
weich *soft*
die Kontaktlinse, -n *contact lense*
Durch die kurze Frisur und ein
dezentes Make-up wirkt Ankes
Gesicht jünger und freundlicher.
*Short hair and discreet make-up*
*make Anke's face look younger and*
*friendlier.*
durch *through*
das Make-up, -s *make-up*
wirken *to appear*

## Seite 14

Er trägt einen schwarzen Anzug. *He*
*is wearing a black suit.*
tragen *to wear*
der Anzug, ⁝e *suit*

die Krawatte, -n  *tie*
Welche Kleidungsstücke passen
  zusammen?  *Which articles of*
  *clothing go together?*
das Kleidungsstück, -e  *article of*
  *clothing*
zusammenpassen  *to go together*
im Winter  *in winter*
der Winter  *winter*
die Hochzeit, -en  *wedding*

## Seite 15

der Bruder, -̈  *brother*
der Onkel, -  *uncle*
der Dialog, -e  *dialogue*
Markieren Sie die Personen in der
  Zeichnung.  *Mark the people in the*
  *drawing.*
markieren  *to mark*
Sie können folgende Sätze verwenden.
  *You can use the following*
  *sentences.*
folgende  *following*

## Seite 16

der Psycho-Test, -s  *psychological test*
tolerant  *tolerant*
der Park, -s  *park*
das Liebespaar, -e  *lovers*
Was denken Sie?  *What do you*
  *think?*
denken  *to think*
verrückt  *mad*
wunderbar  *wonderful*
die Liebe  *love*
die Hausarbeit, -en  *housework*
Manche Eltern können ihre Kinder
  nicht richtig erziehen.  *Some*
  *parents cannot bring up their*
  *children properly.*

manche  *some*
erziehen  *to raise*
Dieser Mann ist der Englischlehrer
  Ihrer Tochter.  *This man is your*
  *daughter's English teacher.*
der Englischlehrer, -  *English teacher*
die Tochter, -̈  *daughter*
Das ist jedenfalls gesünder als Autofahren.  *At least it's healthier than*
  *driving a car.*
jedenfalls  *in any case*
das Autofahren  *driving a car*
In jedem Mann steckt ein Kind.  *In*
  *every man there hides a child.*
stecken  *to hide*
die Bushaltestelle, -n  *bus stop*
Manche Leute haben zu viel Geld.
  *Some people have too much money.*
zu viel  *too much*
Vielleicht ist die Frau privat ganz nett.
  *Perhaps she is quite nice socially.*
privat  *socially*
Es ist sehr laut.  *It is very loud.*
laut  *loud*
das Ergebnis, -se  *result*
ehrlich  *honest*
pünktlich  *punctual*
Sie kritisieren andere Menschen sehr
  oft.  *You frequently criticise other*
  *people.*
kritisieren  *to criticise*
angenehm  *pleasant*
Viele Probleme sind Ihnen egal.
  *Many problems don't matter to you.*
egal  *the same*
Sie sind ein offener und angenehmer
  Typ.  *You are an open and*
  *pleasant type.*
offen  *open*
der Typ, -en  *type*

der Irokese, -n  *Iroquois*

der / die Arbeitslose, -n (ein Arbeitsloser)  *unemployed person*

das Arbeitsamt, ¨er  *employment office*

Den Beamten dort gefällt sein Aussehen nicht.  *The staff there don't like the way he looks.*

das Aussehen  *appearance*

das Badezimmer, -  *bathroom*

Für eine Irokesenfrisur müssen die langen mittleren Haare stehen.  *In an Iroquois hair-style the hair in the middle has to stand up.*

die Irokesenfrisur, -en  *Iroquois hair style*

mittler-  *middle*

Dafür braucht Heinz das Ei.  *For this Heinz needs the egg.*

dafür  *for this*

die Meinung, -en  *opinion*

das Arbeitslosengeld  *unemployment benefit, job-seeker's allowance*

das Stellenangebot, -e  *job offer*

der / die Angestellte, -n (ein Angestellter)  *white collar worker*

wiederkommen  *to come back*

Herr Kuhlmann sabotiert die Stellensuche.  *Mr Kuhlmann is sabotaging the job search.*

sabotieren  *to sabotage*

die Stellensuche  *job search*

Sein früherer Arbeitgeber war sehr zufrieden mit ihm.  *His previous employer was very happy with him.*

früher-  *previous*

der Arbeitgeber, -  *employer*

der Arbeitskollege, -n  *colleague*

Sie haben ihn immer geärgert.  *They kept teasing him.*

ärgern  *to tease*

die Stelle, -n  *job*

Die meisten Jobs sind nichts für ihn.  *Most jobs are no good for him.*

der Job, -s  *job*

der Typ, -en  *type*

der Punk, -s  *punk*

Gegen das Arbeitsamt führt er jetzt einen Prozess.  *He is now taking the employment office to court.*

gegen  *against*

führen  *to conduct*

der Prozess, -e  *legal case*

der Rechtsanwalt, ¨e  *lawyer*

ein paar Euro  *a few euros*

ein paar  *a few*

die Fernsehdiskussion, -en  *television discussion*

Meinetwegen kann er so verrückt aussehen.  *For all I care he can look that crazy.*

meinetwegen  *for all I care*

Das ist mir egal.  *It's all the same to me.*

egal  *equal*

Dann darf er aber kein Geld vom Arbeitsamt verlangen.  *But then he cannot claim money from the employment office.*

verlangen  *to demand, to claim*

Sonst bekommt er doch vom Arbeitsamt kein Geld.  *Otherwise he will get no money from the employment office.*

sonst  *otherwise*

Recht haben  *to be right*

zahlen  *to pay*

Da bin ich anderer Meinung.  *I take a different view.*

die Leistung, -en  *performance*

kritisieren   *to criticise*
lügen   *to lie*

Seite 19

Welches Argument spricht für Heinz?
*Which argument speaks for Heinz?*
das Argument, -e   *argument*
für etwas / jemanden sprechen   *to*
   *speak for something / somebody*
in Wirklichkeit   *in reality*
Heinz muss seine Frisur ändern.
   *Heinz must change his hair style.*
ändern   *to change*
Einverstanden!   *Agreed!*

Seite 20

die Wahrheit, -en   *truth*
schief   *crooked*
Ja, ja, gewiss ...   *Yes, yes, certainly ...*
krumm   *bandy*
deutlich   *clearly*
Entschuldige, aber als dein Freund darf
   ich dir doch mal die Wahrheit sagen,
   oder ...?   *Forgive me, but as your*
   *friend I can tell you the truth from*
   *time to time, can't I ...?*
entschuldigen   *to excuse, forgive*
ehrlich gesagt   *in all honesty*
Die Wahrheit interessiert mich gar
   nicht so sehr.   *I'm not really so*
   *interested in the truth.*
interessieren   *to interest*
Offen gesagt, ...   *To put it plainly, ...*
Wir reden nicht mehr darüber.   *We*
   *won't talk about it any more.*
reden   *to talk*
darüber   *about it*
Deine schiefe Nase ist schließlich nicht
   deine Schuld.   *After all, your*
   *crooked nose is not your fault.*

schließlich   *after all*
die Schuld   *fault*
krummbeinig   *bandy-legged*

## Lektion 2

Seite 21

die Stewardess, -en   *stewardess*
der Zahnarzt, ¨e   *dentist*
die Lehre, -n   *apprenticeship*

Seite 22

der Zoodirektor, -en   *zoo manager*
der Löwe, -n   *lion*
gefährlich   *dangerous*
der Politiker, -   *politician*
der Bundeskanzler, -   *Federal*
   *Chancellor*
die Sportlerin, -nen   *sportswoman*
die Klasse, -n   *class*
Später gewinne ich eine Goldmedaille.
   *I shall go on to win a gold medal.*
später   *later*
die Goldmedaille, -n   *gold medal*
der Nachtwächter, -   *night watchman*
die Dolmetscherin, -nen   *interpreter*
   *(female)*

Seite 23

Wer hat was geschrieben?   *Who*
   *wrote what?*
Ich will Fotomodell werden, weil ich
   dann viel Geld verdiene.   *I want to*
   *become a photographic model,*
   *because then I will earn a lot of*
   *money.*
die Ballerina, Ballerinen   *ballerina*
der Kapitän, -e   *captain*

der Cowboy, -s *cowboy*
der Boxer, - *boxer*
der Popsänger, - *pop singer*
der Eisverkäufer, - *ice-cream seller*
der Astronaut, -en *astronaut*
der Rennfahrer, - *racing driver*

## Seite 24

die Leser-Umfrage, -n *reader survey*
der Friseursalon, -s *hairdressing
salon*
Aber dann habe ich eine Allergie gegen
Haarspray bekommen. *But then I
became allergic to hair spray.*
die Allergie, -n *allergy*
der *oder* das Haarspray, -s *hair spray*
Aber das macht mir keinen Spaß. *But
I don't enjoy that.*
der Spaß *fun*
selbstständig *independent*
im Augenblick *at the moment*
der Augenblick, -e *moment*
der Bauernhof, ⁻e *farm*
der Landwirt, -e *farmer*
Das war mir schon immer klar, obwohl
ich eigentlich nie Lust dazu hatte.
*That was always clear to me,
although I never really wanted to.*
obwohl *although*
dazu *for that*
Mein jüngerer Bruder hat es besser.
*My younger brother has a better
time of it.*
jünger- *younger*
Der durfte seinen Beruf selbst
bestimmen. *He could determine
his own career.*
bestimmen *to determine*
der Bürokaufmann, Bürokaufleute
*executive*
schmutzig *dirty*

anstrengend *tiring*
Jetzt arbeite ich als Taxifahrer. *Now I
work as a taxi driver.*
der Taxifahrer, - *taxi driver*
Wir haben praktisch kein
Familienleben mehr. *We have
practically no family life any more.*
das Familienleben *family life*
Deshalb bin ich nicht zufrieden,
obwohl ich ganz gut verdiene. *So I
am not happy, although I earn quite
well.*
bekannt *well-known*
die Praxis, Praxen *practice*
toll *terrific*
Das macht mir sehr viel Spaß, obwohl
es an manchen Tagen auch
anstrengend ist. *I enjoy it a lot,
although some days it is very tiring.*
manch- *some*
Sie ist unzufrieden, weil sie nicht
selbstständig arbeiten kann. *She is
unhappy, because she cannot work
independently.*
unzufrieden *unhappy*

## Seite 25

Sie konnte nicht lange in diesem Beruf
arbeiten, weil sie eine Allergie
bekommen hat. *She could not
work for long in this job, because
she developed an allergy.*
dieser / diese / dieses *this*
wenig Arbeit haben *to have little
work*
wenig *little*
die Arbeitszeit, -en *working hours*
Haben Ihre Freunde ihren
Traumberuf? *Do your friends have
their dream job?*
der Traumberuf, -e *dream job*

das Schulsystem   *education system*
die Hochschule, -n   *college*
die Fachhochschule, -n   *polytechnic*
die Fachschule, -n   *technical college*
das Abitur   *school leaving certificate*
das Fachgymnasium, Fachgymnasien
   *specialist grammar school*
die Fachoberschule, -n   *college of
   further education*
die Berufsschule, -n   *technical
   college, vocational school*
die mittlere Reife   *16-plus certificate*
der Hauptschulabschluss, ¨e   *school
   leaving certificate from secondary
   modern school*
das Gymnasium, Gymnasien
   *grammar school*
das Schuljahr, -e   *school year*
die Gesamtschule, -n   *comprehensive*
die Realschule, -n   *secondary school*
die Hauptschule, -n   *secondary
   modern school*
die Grundschule, -n   *primary school*

staatlich   *state*
das Jahreszeugnis, -se   *annual report*
das Pflichtfach, ¨er   *compulsory
   subject*
das Wahlpflichtfach, ¨er   *elective
   subject*
die Religionslehre   *religion*
das Englisch   *English*
die Mathematik   *mathematics*
die Physik   *physics*
die Chemie   *chemistry*
die Erdkunde   *geography*
die Wirtschaftslehre   *economics*
die Rechtslehre   *law*
das Rechnungswesen   *accounting*

das Sozialwesen   *social studies*
die Kunsterziehung   *art*
das Werken   *craft*
Technisches Zeichnen   *technical
   drawing*
Textiles Gestalten   *fibre craft*
Haushalt und Ernährung   *home
   economics*
die Kurzschrift   *shorthand*
das Maschinenschreiben   *typing*
die Teilnahme   *participation*
der Wahlunterricht   *optional
   teaching*
befriedigend   *satisfactory*
ausreichend   *adequate*
der Schulleiter, -   *head teacher*
der Klassenleiter, -   *form teacher*
das Latein   *Latin*
die Ethik   *ethics*
die Biologie   *biology*
die Bemerkung, -en   *note*
Korrigieren Sie die falschen Aussagen.
   *Correct the false statements.*
die Aussage, -n   *statement*
die Bundesrepublik   *Federal Republic*
dauern   *to last*
die Zeugnisnote, -n   *grade*
Wenn man studieren will, muss man
   das Abitur machen.   *If you want to
   study, you must take your Abitur.*
wenn   *if*
der Realschulabschluss, ¨e   *secondary
   school leaving certificate*
Jedes Kind kann sich die Schule aussuchen.   *Every child can choose its
   school.*
aussuchen   *to choose*

der Realschüler, -   *pupil at secondary
   school*
der Vorteil, -e   *advantage*

der Nachteil, -e  *disadvantage*
später  *later*
noch mindestens vier Jahre kein Geld
  verdienen  *to earn no money for at*
  *least another four years*
mindestens  *at least*
der Text, -e  *text*
die Schulzeit  *schooldays*
der Schulabschluss, ̈e  *school*
  *leaving certificate*
der Akademiker, -  *graduate*
das Rollenspiel, -e  *role play*
das Abschlusszeugnis, -se  *leaving*
  *certificate*

## Seite 29

der Hochschulabsolvent  *graduate*
... so schätzt das Arbeitsamt, ...
  *... the department of employment*
  *estimates ...*
schätzen  *to estimate*
die Million, -en  *million*
das Semester, -  *semester*
die Germanistik  *German (as a*
  *university subject)*
optimistisch  *optimistic*
die Germanistikstudentin, -nen
  *student of German*
der Konkurrenzkampf, ̈e  *rat-race*
die Uni, -s  *university*
beginnen  *to begin*
die Wirtschaft  *economics*
Auch an der Uni muss man kämpfen.
  *At university too you must fight.*
kämpfen  *to fight*
die Zukunftsangst, ̈e  *fear of the*
  *future*
Ich schaffe es bestimmt.  *I'm sure to*
  *do it.*
es schaffen  *to manage it*
die Psychologie  *psychology*

das Examen, -  *exam*
die Bewerbung, -en  *application*
negativ  *negative*
die Berufserfahrung  *work experience*
eigene-  *own*
die Diplom-Psychologin, -nen
  *graduate psychologist*
anbieten  *to offer*
Die Arbeit dort ist ganz interessant,
  aber mein Traumjob ist das nicht.
  *The work there is quite interesting,*
  *but it isn't my dream job.*
dort  *there*
der Traumjob, -s  *dream job*
wahrscheinlich  *probably*
die Doktorarbeit, -en  *thesis*
der Doktortitel, -  *doctorate*
die Stellensuche  *job-search*

## Seite 30

der Automechaniker, -  *car mechanic*
sicherer Arbeitsplatz  *secure job*
sicher  *secure*
der Arbeitsplatz, ̈e  *job*
die Lehrstelle, -n  *apprenticeship*
  *place*
das Diplom, -e  *degree*

## Seite 31

die Rechnungsabteilung, -en
  *accounts department*
der Betrieb, -e  *firm*
die Elektronikindustrie  *electronics*
  *industry*
das Unternehmen, -  *enterprise*
zusammenarbeiten  *to work together*
das Gehalt, ̈er  *salary*
das Urlaubsgeld  *holiday pay*
die Betriebskantine, -n  *works*
  *canteen*

ausgezeichnet *excellent*
die Karrierechance, -n *career prospect*
versprechen *to promise*
die 5-Tage-Woche, -n *5-day week*
ca. = circa *approximately*
dynamisch *dynamic*
die Persönlichkeit, -en *personality*
perfekt *perfect*
das Team, -s *team*
Probleme lösen *to solve problems*
Sie möchten in Ihrem Beruf vorwärts kommen. *You want to get on in your career.*
vorwärts kommen *to get on*
der Geschäftskontakt, -e *business contact*
die Chefsekretärin, -nen *personal assistant (female)*
Sprachkenntnisse *(Plural) knowledge of foreign languages*
Sie bereiten Termine vor. *You will arrange appointments.*
der Termin, -e *appointment*
die Messe, -n *trade fair*
der Vertrag, ⸚e *contract*
Mit einem Wort: ... *In a word, ...*
angenehm *pleasant*
die Arbeitsatmosphäre *working climate*
die Betriebsrente, -n *works pension*
die Kantine, -n *canteen*
der Tennisplatz, ⸚e *tennis court*
& Co. = und Kompanie *& Co.*
der Automatenbau *vending machine manufacture*
das Möbelunternehmen, - *firm in the furniture business*
der Verkaufsdirektor, -en *sales director*
dringend *urgently*
mehrere *several*

sich bewerben (bei einer Firma) (um eine Stelle) *to apply (in a company) (for a job)*
KG = die Kommanditgesellschaft, -en *limited partnership*
das Postfach, ⸚er *PO box*

## Seite 32

die Personalabteilung, -en *personnel department*
Sehr geehrte Damen und Herren, ... *Dear Sirs, ...*
geehrte *respected*
die Dame, -n *lady*
Ich bewerbe mich hiermit um die Stelle als Chefsekretärin in Ihrer Firma. *I am writing to apply for the post of personal assistant in your firm.*
hiermit *herewith*
seit 1995 *since 1995*
die Aufgabe, -n *task*
Über eine baldige Antwort würde ich mich sehr freuen. *I would appreciate an early reply.*
baldig- *early*
der Lebenslauf, ⸚e *curriculum vitae*
geb. = geborene *née*
das Dolmetscherinstitut, -e *school for interpreters*
das Sprachpraktikum, Sprachpraktika *language training placement*
Fa. = die Firma, Firmen *firm*
der Import *import*
der Export *export*
die Heirat *marriage*
der Exportkaufmann, Exportkaufleute *export executive*
die Abendschule, -n *evening class*
der Sekretärinnenkurs, -e *secretarial course*
die Abschlussprüfung, -en *final examination*

13

die Handelskammer, -n   *Chamber of Commerce*
prüfen   *to examine*
jetzig-   *current*
das Datum   *date*
der Personalchef, -s   *personnel manager*
das Sprachinstitut, -e   *language school*
das Institut, -e   *college*
zurückkommen   *to return*

## Seite 33

die Notiz, -en   *note*
das Angebot, -e   *offer*
die Busverbindung, -en   *bus connection*
brutto   *gross*
die Wunschliste, -n   *list of requirements*
der Grund, ˙e   *reason*
die Berufswahl   *career selection*
Institut für Arbeitsmarkt- und Berufsforschung   *Institute for Research on Employment and Careers*
der Arbeitsmarkt   *labour market*
die Berufsforschung   *career research*
die Umfrage, -n   *survey*
Dabei haben von je 100 befragten Personen angegeben: ...   *In this, from every 100 people the response was: ...*
dabei   *in that*
je   *every*
befragen   *to ask*
angeben   *to reply*
der Verdienst, -e   *earnings*
die Sicherheit   *security*
leicht   *easy*
die Karriere, -n   *career*
das Prestige   *prestige*
die Karrierechance, -n   *career opening*

Aber alles zusammen, das gibt es selten.   *But you seldom find them altogether.*
selten   *seldom*
der Arbeitsort, -e   *place of work*
unwichtig   *unimportant*
auf jeden Fall   *in any case*
auf keinen Fall   *not at all*
die Hauptsache, -n   *main thing*

## Seite 34

als wie zuvor *(unüblich!)*   *as before (uncommon expression)*
zuvor   *before*
der Hausbote, -n   *office messenger*
das Semester, -   *semester*
... und zwar Philosophie!   *... in fact philosophy!*
zwar   *in fact*
Kinderchen *(Plural; unüblich!)*   *kiddies*
promovieren   *to obtain a doctorate*
ungewöhnlich   *unusual*
notwendig   *necessary*
der Umweg, -e   *roundabout way*
nachdenken   *to think over*
Weil ich das Nachdenken leid war ...   *Because I was tired of thinking it over ...*
etwas leid sein   *to be tired of something*
die Bewegung, -en   *movement*
Ich muss jetzt endlich mal meine Beine bewegen.   *It's high time I get my legs into motion.*
bewegen   *to move*
Leider ist die Hausbotenstelle inzwischen besetzt.   *Unfortunately the post of office messenger has already been taken.*
die Hausbotenstelle, -n   *post of office messenger*

inzwischen *meanwhile*
besetzt *occupied*
Doch heute wurde eine andere Stelle frei. *But today another post became free.*
frei werden *to become free*
die Telefonzentrale, -n *telephone switchboard*

## Lektion 3

### Seite 35

das Quiz *quiz*
die Nachricht, -en *news*
der Spielfilm, -e *film*
die Kindersendung, -en *children's programme*
das Theaterstück, -e *play*
der Krimi, -s *thriller*
die Straßenkünstler *pavement artist*
das Ballett *ballet*

### Seite 36

ARD *German TV, lst Channel*
ZDF *Second German Television*
RTL *Luxemburg German Channel*
3 Sat *(name of satellite channel)*
eine ungewöhnliche Frau *an unusual woman*
das Wirtschaftstelegramm, -e *economic telegram*
die Tagesschau *news*
der Zeichentrickfilm, -e *cartoon*
das Magazin, -e *magazine*
die Folge, -n *episode*
der Indianerhäuptling, -e *American Indian Chief*
der Ratgeber, - *consumer programme*

das Regionalprogramm, -e *regional programme*
die Werbung *advertising*
das Abenteuer, - *adventure*
der Bergsteiger, - *mountaineer*
politisch *political*
der Tatort, -e *scene of the crime*
die Fakten *facts*
die Wiederholung, -en *rerun*
das Meisterwerk, -e *masterpiece*
der Gott, ¨er *god*
zuletzt *last*
die Presseschau *press review*
der Revolver, - *revolver*
die Kinder-Krimiserie *children's thriller serial*
die Serie, -n *serial*
europäisch *European*
die Zirkusnummer, -n *circus act*
das Bundesland, ¨er *federal state*
die Teleillustrierte *TV magazine*
der Gangster, - *gangster*
der Ganove, -n *crook*
die Reportage, -n *report*
das Bahnhofsviertel, - *station area*
die Anatomie *anatomy*
Heute-Journal *extended news programme*
das Journal, -e *journal, diary*
schwierig *difficult*
die Talkshow *talkshow*
die Show, -s *show*
der DFB-Pokal *German football cup*
die Liebe *love*
die Komödie, -n *comedy*
die Unterhaltung *entertainment*
riskant *risky*
die Spielshow, -s *game show*
der Showladen *display shop*
die Gewinnshow, -s *game show with prizes*
der Polizeibericht, -e *police report*
aktuell *current*

der Hammer, ⸚ *hammer*
wild *wild*
die Rose, -n *rose*
mexikanisch *Mexican*
das Wetter *weather*
der Pop *pop*
der Rock *rock*
die Szene *scene*
das Filmquiz *film quiz*
die Komödie, -n *comedy*
explosiv *explosive*
das Gericht, -e *court*
geschehen *to happen*
hellicht- *daylight*
der Kriminalfilm, -e *crime thriller*
Aerobics *(Plural)* *aerobics*
singen *to sing*
der Chor, ⸚e *choir*
das Orchester, - *orchestra*
die Vorschau, -en *preview*
der Tierarzt, ⸚e *vet*
die Landschaft, -en *scenery*
die Kultur, -en *culture*
das Studio, -s *studio*
der Geheimagent, -en *secret agent*
der Dokumentarfilm, -e *documentary film*
die Motorrad-WM *World Motorcycling Championship*
ccm = Kubikzentimeter *cc*
das Leichtathletik-Meeting, -s *athletics meeting*
der Club, -s *club*

## Seite 37

die Sendung, -en *programme*
das Fernsehprogramm, -e *television programme*
die Unterhaltung *entertainment*
die Politik *politics*
die Bildung *education*

der Wunsch, ⸚e *request, wish*
zusammenstellen *to put together*
die Gruppenarbeit, -en *group work*
das Ergebnis, -se *result*

## Seite 38

passend *appropriate*
die Fortsetzung, -en *continuation*
amerikanisch *American*
Die Tanners haben ihre Katze verloren. *The Tanners have lost their cat.*
verlieren *to lose*
Ein Auto hat sie überfahren. *It was run over by a car.*
überfahren *to run over*
unglücklich *unhappy*
tot *dead*
Eigentlich findet der clevere Junge die Situation gar nicht so schlecht. *Actually the clever boy doesn't find the situation so bad.*
die Situation, -en *situation*
der Dieb, -e *thief*
die Weihnachtsferien *Christmas holidays*
das Unglück, -e *mishap*
das Katzenbaby, -s *kitten*
per Telefon *by telephone*
Bekommt er wenigstens eins zum Frühstück? *Will he get at least one (of these) for breakfast?*
wenigstens *at least*
die Anatomie *anatomy*
ehrgeizig *ambitious*
Kommissar Matthäi will den Mörder endlich fangen. *Commissioner Matthäi wants to catch the murderer at last.*
fangen *to catch*
der Plan, ⸚e *plan*

Die kleine Annemarie soll den Mörder in eine Falle locken. *Little Annemarie is to entice the murderer into a trap.*
die Falle, -n *trap*
locken *to entice*
die Tatwaffe, -en *murder weapon*
die Eifersuchtstragödie, -n *crime of passion*
Kriminalfilm-Klassiker nach Friedrich Dürrenmatt. *Classic thriller based on a story by Friedrich Dürrenmatt.*
der Klassiker, - *classic*
nach *based on*
der Landstreicher, - *tramp*
die Leiche, -n *corpse*
das Opfer, - *victim*
der Kindesmord, -e *child murder*
neugierig *inquisitive*
Paula kommt einer Mordserie auf die Spur *Paula gets onto a series of murders*
die Untersuchung, -en *enquiry*
der Mord *murder*

## Seite 39

der Leserbrief, -e *letter to the editor*
der Glückwunsch, ⁻e *congratulations*
die Sendezeit, -en *transmission time*
der Moderator, -en *presenter*
langweilig *boring*
ärgern *to annoy*
aufregen *to excite*
politisch *political*
Wofür interessiert sich Kurt Förster? *What is Kurt Förster interested in?*
wofür *in what*
sich interessieren *to be interested*
worüber *about what*
worauf *about what*

sich ärgern *to get annoyed*
sich aufregen *to get worked up*
Nein, dafür interessiere ich mich nicht. *No, I am not interested in that.*
dafür *in that*
die Sportsendung, -en *sports programme*
Alle Angaben in Millionen *All figures are in millions*
die Angabe, -n *detail*
die Kategorie, -n *category*
Wetten dass? *Want to bet?*
wetten *to bet*
die Show, -s *show*
der Millionär *millionaire*
die Bundesliga *Federal (football) League*
die Expedition, -en *expediton*
die Regionalsendung, -en *regional programme*
Käpt'n Blaubär *Captain Bluebear*
die Ratgebersendung, -en *consumer programme*
die Wissenschaft, -en *science*
die Technik *technology*
die Kunst *art*
die Literatur *literature*
die Jugend *youth*

## Seite 40

beliebt *popular*
das Lied, -er *song*
die Lebensfrage, -n *life's questions*
Sie haben ein persönliches Problem. *They have a personal problem.*
persönlich *personal*
einige *some*
der Anrufer, - *caller*
unglücklich *unhappy*
Machen Sie Ihren Mann zu Ihrem Fahrlehrer. *Get your husband to teach you to drive.*

der Fahrlehrer, - *driving instructor*
Bitten Sie ihn um Hilfe. *Ask him for
help.*
bitten *to ask*
der Kasten, ⁓ *box*
nicht wirklich, nur gedacht *not
really, only considered*
denken *to think*
raten *to advise*
einen Kompromiss suchen *to look
for a compromise*
der Kompromiss, -e *compromise*
der Psychiater, - *psychiatrist*
eigen- *own*

## Seite 41

der Liedtext *song text*
der Text, -e *text*
das Schäfchen, - *little sheep*
golden *gold*
der Mond, -e *moon*
der Baum, ⁓e *tree*
am Himmel droben *(unüblich!)* *up in
the sky (uncommon)*
der Himmel *sky*
die Freude, -n *joy*
überhaupt nicht *not at all*
das Märchen, - *tale*
der Sinn *sense(s)*
dunkeln *to grow dark*
der Gipfel, - *mountain top*
funkeln *to sparkle*
der Abendsonnenschein *evening
sunshine*
der Igel, - *hedgehog*
küssen *to kiss*
fein *nice*
behutsam *careful*
die Zehe, -n *toe*

## Seite 42

benutzen *to use*
das Wörterverzeichnis, -se
*vocabulary*
sich verlieben *to fall in love*
verlieren *to lose*
weit *far*
der Rhythmus, die Rhythmen *rhythm*
die Klassik *classical*
der Techno *techno*
der Jazz *jazz*
der Rock *rock*
das Chanson, -s *chanson*
der Schlager, - *hit*
der Blues *blues*
die Volksmusik *folk music*
Disko *disco*

## Seite 43

der Alltagstrott *daily routine*
der Musikant, -en *musician*
der Asphalt *asphalt, tarmac*
20-jährig- *20-year-old*
die Straßenpantomimin, -nen *street
mime artist (female)*
feucht *damp*
der Rathausmarkt *town hall market
(place)*
der Zuschauer, - *onlooker*
Sie ... packt sofort ihre Sachen aus und
beginnt ihre Vorstellung. *She ...
unpacks her things and begins her
performance.*
auspacken *to unpack*
beginnen *to begin*
die Vorstellung, -en *performance*
Sie zieht mit ihren Fingern einen
imaginären Brief aus einem
Umschlag. *With her fingers she
takes an imaginary letter from an
envelope.*

der Finger, - *finger*
imaginär *imaginary*
der Umschlag, ⁻e *envelope*
Den Umschlag tut sie in einen
Papierkorb. *She puts the envelope
into a waste paper basket.*
der Papierkorb, ⁻e *waste paper
basket*
das Pantomimenspiel *mime*
Nur ein älterer Herr mit Bart regt sich
auf. *Only an old man with a beard
gets annoyed.*
älter- *older*
der Bart, ⁻e *beard*
Früher hat Gabriela sich über solche
Leute geärgert. *Gabriela used to
get annoyed at such people.*
solch- *such*
Nach der Vorstellung sammelt sie mit
ihrem Hut Geld. *After the
performance she collects money in
her hat.*
sammeln *to collect*
der Cent, -s *cent*
regelmäßig *regularly*
die Asphaltkunst *pavement art*
Ihre Kollegen machen Asphaltkunst
gewöhnlich nur in ihrer Freizeit.
*Her colleagues usually only do
pavement art in their free time.*
gewöhnlich *usually*
die Asphaltkarriere, -n *pavement
career*
Die günstigsten Plätze sind Fußgänger-
zonen, Ladenpassagen und Einkaufszentren. *The best places are
pedestrian zones, arcades and
shopping centres.*
die Fußgängerzone, -n *pedestrian
zone*
die Ladenpassage, -n *shopping
arcade*

das Einkaufszentrum, Einkaufszentren
*shopping centre*
der Einkauf, ⁻e *shopping*
Ich hol' sie ein bisschen aus dem
Alltagstrott. *I briefly take them out
of their daily routine.*
ein bisschen *a bit*
stehen bleiben *to stand still*
ausruhen *to rest*
der Alltag *everyday matters*
das Straßentheater *street theatre*
Die Geschäftsleute beschweren sich
über die Straßenkünstler. *The
shopkeepers complain about the
street artists.*
Geschäftsleute *(Plural)* *shopkeepers*
sich beschweren *to complain*
die Straßenkunst *street art*
der Vagabund, -en *tramp*
der Nichtstuer, - *loafer*
selten *seldom*
Gabrielas Leben ist sehr unruhig.
*Gabriela's life is very restless.*
unruhig *restless*
Manchmal habe ich richtig Angst, den
Boden unter den Füßen zu verlieren.
*Sometimes I am afraid of getting
out of my depth.*

## Seite 44

die Käsetheke *cheese counter*
Inh. = der Inhaber, - *owner*
Amt für öffentliche Ordnung *Public
Order Office*
das Amt, ⁻er *office*
öffentlich *public*
die Ordnung *order*
Sehr geehrte Damen und Herren, ...
*Dear Sirs, ...*
geehrt- *respected*
die Dame, -n *lady*

Käse-Spezialitäten-Geschäft  *cheese speciality shop*
die Spezialität, -en  *speciality*
Manchmal kann ich meine Kunden kaum verstehen.  *Sometimes I can hardly understand my customers.*
kaum  *hardly*
laut  *loud*
der Sommer, -  *summer*
Meine Frau und ich müssen uns von morgens bis abends die gleichen Lieder anhören.  *My wife and I have to listen to the same songs from morning till night.*
sich anhören  *to listen*
die Eingangstür, -en  *entrance*
möglich  *possible*
Außerdem stellen die Musiker sich genau vor den Eingang meines Ladens.  *Moreover, the musicians position themselves right in front of the entrance to my shop.*
sich aufstellen  *to position oneself*
der Musiker, -  *musician*
der Eingang, ⸚e  *entrance*
der Laden, ⸚  *shop*
Aber muss es ausgerechnet vor meinem Laden sein?  *But does it have to be right outside my shop?*
ausgerechnet  *of all things*
hundertmal  *a hundred times*
Haben wir Geschäftsleute denn keine Rechte?  *Don't we shopkeepers have any rights then?*
das Recht, -e  *right*
die Musikgruppe, -n  *music group*
elektronisch  *electronic*
der Verstärker, -  *amplifier*
der Lautsprecher, -  *loudspeaker*
Man kann es nicht mehr aushalten!  *We can't stand it any more!*
aushalten  *to put up with*

die Ladentür, -en  *shop doorway*
Es nützt nichts.  *It is useless.*
nützen  *to be of use*
der Musikterror  *music terror*
dringend  *urgent*
die Straßenmusik  *street music*

## Seite 45

der Ärger  *trouble*
die Reporterin, -nen  *reporter*
der Passant, -en  *passer-by*
der Konzertsaal, Konzertsäle  *concert hall*
der Geschäftsverkehr  *business*
Die Musik in den Kaufhäusern ist doch genauso laut.  *The music in the department stores is just as loud.*
das Kaufhaus, ⸚er  *department store*
genauso  *equally*
Freitags und samstags ist es sowieso immer viel zu voll in der Fußgänger-zone.  *In any case, on Fridays and Saturdays the pedestrian zone is much too full.*
sowieso  *in any case*
Was heißt hier überhaupt Straßen-musikanten?  *What do you mean, street musicians?*
überhaupt  *at all*
die Qualität  *quality*
Als Geschäftsmann würde ich ...  *If I were a shopkeeper, I would ...*
Geschäftsmann, Geschäftsleute  *shopkeeper*

## Seite 46

der Nichtmacher, -  *the do-nothing*
tatsächlich  *indeed*
wahrscheinlich  *probably*

Ich weiß nämlich immer ziemlich
genau, was ich *nicht* machen würde.
*I always know fairly precisely what
I do not want to do.*
nämlich   *in fact (not usually
translated in English)*
wovor   *of what?*

## Lektion 4

Seite 47

die Panne, -n   *breakdown*
der Reifen, -   *tyre*
der Autounfall, ⁻e   *car accident*
der Kofferraum, ⁻e   *boot (US: trunk)*
die Reparatur, -en   *repair*
die Werkstatt, ⁻en   *workshop*
die Tankstelle, -n   *petrol station*
Super   *4-star / high octane*
Normal   *2-star / low octane*
der Diesel   *diesel*
der Motor, -en   *motor*
die Fahrschule, -n   *driving school*

Seite 48

der Mini, -s   *mini*
der Kleinwagen, -   *small car*
beliebt   *popular*
Wir haben vier Modelle getestet: den
neuen VW Polo und drei seiner
stärksten Konkurrenten.   *We tested
four models: the new VW Polo and
three of its strongest competitors.*
das Modell, -e   *model*
testen   *to test*
der Konkurrent, -en   *competitor*
der Typ, -en   *type*
incl. = inklusive   *inclusive*

Mwst. = die Mehrwertsteuer   *Value
Added Tax*
die Motorleistung, -en   *performance*
kw = das Kilowatt, -   *kilowatt*
das PS = die Pferdestärke, -n   *horse-
power*
Höchstgeschw. = die Höchst-
geschwindigkeit, -en   *maximum
speed*
der Verbrauch   *consumption*
das Gewicht, -e   *weight*
die Länge, -n   *length*
die Versicherung, -en   *insurance*
die Steuer, -n   *tax*
Kosten *(Plural)*   *costs*
das Superbenzin   *4-star petrol*
das Normalbenzin   *2-star petrol*
der Durchschnitt, -e   *average*
durchschnittlich   *average*
der Wertverlust, -e   *depreciation*
... hat den höchsten Benzinverbrauch.
   *... has the highest petrol
consumption.*
der Benzinverbrauch   *petrol
consumption*
die Geschwindigkeit, -en   *speed*

Seite 49

Er verbraucht mehr Benzin, als im
Prospekt steht.   *It uses more petrol
than the brochure says.*
verbrauchen   *to use*
der Prospekt, -e   *brochure*
die Bremse, -n   *brake*
das Fahrlicht, -er   *headlight*
das Bremslicht, -er   *brake light*
der Unfallwagen, -   *tow truck, break
down lorry*
der Scheibenwischer, -   *windscreen
wiper*

21

## Seite 50

Ich kann es Ihnen nicht versprechen.
Wir versuchen es. *I cannot
promise. We shall try.*
versprechen *to promise*
versuchen *to try*
Vielen Dank! *Many thanks!*
Ich habe für heute einen Termin.
*I have an appointment for today.*
der Termin, -e *appointment*
Die Fahrertür klemmt. *The driver's
door sticks.*
die Fahrertür, -en *driver's door*
klemmen *to stick*
vorne *in front*
Die Werkstatt soll die Bremsen prüfen.
*The garage should check the brakes.*
prüfen *to check*

## Seite 51

die Auftragsbestätigung, -en *order
confirmation*
die Rechnung, -en *invoice*
Nr. = die Nummer, -n *number*
Bremsbacken hinten 1 Seite aus- und
eingebaut *brake shoe 1 side rear
removed and replaced*
die Bremsbacke, -n *brake shoe*
hinten *rear*
ausbauen *to remove*
einbauen *to replace*
das Handbremsseil, -e *handbrake
cable*
Bremse hinten eingestellt *rear brake
adjusted*
einstellen *to adjust*
der Bremszug, ⁚e *brake cable*
Wir danken für Ihren Auftrag und
wünschen gute Fahrt. *We thank
you for your order and wish you a
good journey.*

danken *to thank*
der Auftrag, ⁚e *order*
wünschen *to wish*
die Handbremse, -n *hand brake*
Herr Wegener ärgert sich darüber,
denn diese Reparatur hat 51 Euro 40
extra gekostet. *Herr Wegener is
annoyed because this repair costs €
51.40 extra.*
extra *extra*
montieren *to fit*
tanken *to fill up*
der Tankwart, -e *petrol pump
attendant*
der Tank, -s *tank*
Das ist gelogen! *That's a lie!*
lügen *to lie*
Das überzeugt mich nicht! *I'm not
convinced!*
überzeugen *to convince*
Verzeihung! *Sorry!*

## Seite 52

Vom Blech zum Auto *From metal to
car*
das Blech (= Materialbezeichnung,
kein Plural) *metal*
die Autoproduktion *car production*
Zuerst wird das Blech automatisch
geschnitten. *First the metal is cut
automatically.*
automatisch *automatic(ally)*
Dann werden daraus die Karosserie-
teile gepresst. *Then the chassis
parts are pressed from it.*
daraus *from it*
das Karosserieteil, -e *chassis part*
pressen *to press*
das Seitenteil, -e *side panel*
usw. = und so weiter *etc.*

Danach werden die Blechteile
zusammengeschweißt. *Then the
metal parts are welded together.*
das Blechteil, -e *metal part*
zusammenschweißen *to weld
together*
schweißen *to weld*
der Roboter, - *robot*
die Karosserie, -n *chassis*
lackieren *to paint*
mehrere Male *several times*
das Mal, -e *time*
spritzen *to spray*
So wird sie gegen Rost geschützt.
*Thus it is protected against rust.*
der Rost *rust*
schützen *to protect*
der Sitz, -e *seat*
der Käufer, - *purchaser*
Bringen Sie die Sätze in die richtige
Reihenfolge. *Fit the sentences into
the right order.*
die Reihenfolge, -n *order*
zuletzt *finally*
Roboter schweißen die Bleche.
*Robots weld the metal.*
das Blech, -e *metal*

## Seite 53

In der Karosserieabteilung werden die
Bleche geformt. *In the chassis
department the metal parts are
shaped.*
die Karosserieabteilung, -en *chassis
department*
formen *to form*
kompliziert *complicated*
die Montageabteilung, -en *assembly
department*
das Autohaus, ⁻er *car showroom*

## Seite 54

der Berufskraftfahrer, - *professional
driver*
die Berufskraftfahrerin, -nen
*professional driver (female)*
der Autoverkäufer, - *car salesman*
die Berufsbezeichnung, -en *job title*
In Deutschland leben rund 5 Millionen
Arbeitnehmer vom Auto. *In
Germany some 5 million workers
earn their living from cars.*
der Arbeitnehmer, - *employee*
die Autofabrik, -en *car factory*
die Autoteilefabrik, -en *car
components factory*
das Autogeschäft, -e *car accessories
shop*
das Amt, ⁻er *office*
der Straßenbau *road building*
die wichtigsten Berufe rund ums Auto
*the most important jobs around the
car*
rund um *around*
Das ist keine leichte Arbeit. *That is
no easy work.*
leicht *easy*
Auf Europas Straßen gibt es immer
mehr Verkehr. *On Europe's roads
there is more and more traffic.*
der Verkehr *traffic*
pünktlich *punctual*
Man ist oft mehrere Tage von seiner
Familie getrennt. *You are often
away from your family for days on
end.*
getrennt sein *to be separated from*
der Verdienst *earnings*
beliebt *popular*
pflegen *to look after*
der Kfz-Meister, - *qualified car
mechanic*

die Kfz-Meisterin, -nen  *qualified car mechanic (female)*
dreieinhalb  *three and a half*
Verdienst: 1000 bis 2000 Euro, je nach Arbeitsort und Leistung.  *Earnings: 1000 – 2000 euros depending on place of work and performance.*
je nach  *according to*
der Arbeitsort, -e  *place of work*
der / die Angestellte, -n (ein Angestellter)  *white-collar worker*
Sie lehren die Fahrschüler das Autofahren.  *They teach the learners to drive.*
lehren  *to teach*
der Fahrschüler, -  *learner driver*
der Unterricht  *teaching*
Verkehrsregeln (*Plural*)  *rules of the road*
die Führerscheinprüfung, -en  *driving test*
die Geduld  *patience*
der Nerv, -en  *nerve*
Nach abgeschlossener Berufsausbildung oder Abitur wird man ... auf die staatliche Prüfung vorbereitet.  *After completing an apprenticeship or taking Abitur, you are ... prepared for the state exam.*
abgeschlossen  *completed*
die Berufsausbildung  *vocational training*
staatlich  *state*
unterschiedlich  *variable*
In Großstädten ist die Konkurrenz groß.  *In large cities there is much competition.*
die Konkurrenz  *competition*
Tankwarte versorgen Kraftfahrzeuge mit Benzin, Diesel, Gas und Öl.  *Attendants supply vehicles with petrol, diesel, gas and oil.*

versorgen  *to supply*
das Kraftfahrzeug, -e  *vehicle*
das Gas  *gas*
das Autozubehörteil, -e  *accessory*
andere Artikel wie Zeitschriften, Zigaretten und Getränke  *other articles such as magazines, cigarettes and drinks*
der Artikel, -  *article*
die Zeitschrift, -en  *magazine*
technisch  *technical*
z.B. = zum Beispiel  *for example*
testen  *to test*
unregelmäßig  *irregular*
geöffnet  *open*
die Büroarbeit, -en  *office work*
Autos an- und abmelden  *to register and de-register cars*
anmelden  *to register*
abmelden  *to de-register*
der Bankkredit, -e  *bank loan*
die Versicherungspolice, -n  *insurance policy*
der Zubehörhandel  *accessories trade*
Chancen: sehr gut, wenn man Erfolg hat.  *Prospects: very good, if you are successful.*
der Erfolg, -e  *success*

## Seite 55

die Schichtarbeit  *shift work*
Ihre Arbeitszeit wechselt ständig.  *Your working hours are constantly changing.*
ständig  *constantly*
die Feuerwehrleute  *firemen*
der Schichtarbeiter, -  *shift worker*
die Tochter, ⁻  *daughter*
der Bahnhofskiosk, -e  *station kiosk*
Seit sechs Jahren macht sie diesen Job.  *She has been doing this job for six years.*

der Job, -s  *job*
der Facharbeiter, -  *skilled worker*
die Autoreifenfabrik, -en  *tyre factory*
die Frühschicht, -en  *early shift*
die Nachtschicht, -en  *night shift*
Einen gemeinsamen Feierabend
  kennen die Eheleute nicht.  *The*
  *couple do not have a common*
  *finishing time.*
gemeinsam  *common*
der Feierabend, -e  *finishing time*
Eheleute *(Plural)*  *married couple*
Dann sorgt er für die Kinder.  *Then he*
  *looks after the children.*
sorgen  *to look after*
vormittags  *in the morning*
das Reihenhaus, ⁻er  *terraced house*
Ich bekomme 11,15 Euro pro Stunde
  plus 60 % extra für die Nachtarbeit.
  *I get € 11.15 per hour, plus 60 %*
  *extra for night work.*
plus  *plus*
die Nachtarbeit  *night work*
die Überstunde, -n  *overtime*
die Sonntagsarbeit  *Sunday work*
der Arbeitstag, -e  *working day*
die Schicht, -en  *shift*
der Schichtzuschlag, ⁻e  *shift*
  *supplement*
das Urlaubsgeld, -er  *holiday pay*
Dafür können sie sich ein eigenes Haus
  leisten.  *This means that they can*
  *afford their own house.*
sich leisten  *to afford*
die Urlaubsreise, -n  *holiday trip*
Aber sie bezahlen dafür ihren privaten
  Preis: ...  *But for this they pay a*
  *personal price: ...*
privat  *private*
die Nervosität  *tension*
die Schlafstörung, -en  *disturbed*
  *sleep*

Arbeitspsychologen und Mediziner
  kennen diese Probleme und warnen
  deshalb vor langjähriger Schichtarbeit.  *Industrial psychologists*
  *and doctors know these problems*
  *and warn against continued shift*
  *work over many years.*
der Arbeitspsychologe, -n  *industrial*
  *psychologist*
der Mediziner, -  *doctor*
warnen  *to warn*
langjährig  *for many years*
der Stundenlohn, ⁻e  *hourly wage*

## Seite 56

die Interviewfrage, -n  *interview*
  *question*
der Zeitungsartikel, -  *newspaper*
  *article*
das Interview, -s  *interview*
die Partnerarbeit  *pair work*
Auch Herr und Frau Behrens haben
  unterschiedliche Arbeitszeiten.
  *Herr and Frau Behrens also have*
  *different working hours.*
unterschiedlich  *different*
das Stichwort, -e *oder* ⁻er  *point*
... ist mit der Familie und Freunden
  weniger zusammen, aber dafür
  intensiver.  *... is less frequently*
  *with family and friends, but on the*
  *other hand more intensively.*
intensiv  *intensive(ly)*
Nachmittags machen sie und ihr Mann
  gemeinsam den Haushalt.  *In the*
  *afternoon she and her husband do*
  *the housework together.*
der Haushalt  *housework*
Nur der Straßenlärm beim Tagesschlaf
  stört.  *Only the noise from the*
  *street disturbs them when s/he*
  *sleeps in the daytime.*

der Straßenlärm  *street noise*
der Tagesschlaf  *daytime sleep*
das Taxi, -s  *taxi*
Beide geben deshalb wenig Geld aus.
*So neither spends much money.*
ausgeben  *to spend*

## Seite 57

der Lohn, ⁻e  *wage*
das Gehalt, ⁻er  *salary*
die Abrechnung, -en  *calculation*
Erklären Sie den Unterschied zwischen
Netto- und Bruttolohn.  *Explain
the difference between net and gross
pay.*
der Unterschied, -e  *difference*
der Nettolohn, ⁻e  *net pay*
der Bruttolohn, ⁻e  *gross pay*
die Personal-Nr.  *personnel number*
der Zeitraum, ⁻e  *period*
162 Stunden à € 11,15  *162 hours at
€ 11.15*
à  *at*
der Zuschlag, ⁻e  *supplement*
die Mehrarbeit, -en  *overtime*
die Feiertagsarbeit  *holiday working*
das Essensgeld, -er  *meals allowance*
das Fahrgeld, -er  *travel allowance*
die Vermögensbildung  *Save As You
Earn*
der Abzug, ⁻e  *deduction*
die Lohnsteuer, -n  *income tax*
die Klasse, -n  *class*
der Solidaritätszuschlag  *solidarity
surcharge*
die Kirchensteuer, -n  *church tax*
evangelisch  *protestant*
katholisch  *catholic*
die Krankenversicherung, -en  *health
insurance*

die Pflegeversicherung  *care
insurance*
der Arbeitnehmeranteil, -e
*employee's contribution*
die Arbeitslosenversicherung, -en
*unemployment insurance*
die Rentenversicherung, -en  *pension
insurance, superannuation scheme*
die Summe, -n  *sum, total*
die Überweisung, -en  *transfer*
das Konto, Konten  *account*
die Stadtsparkasse, -n  *municipal
savings bank*
das Haushaltsgeld  *housekeeping
money*
die Durchschnittsfamilie, -n  *average
family*
usw. = und so weiter  *etc.*
regelmäßig  *regular*
die Ausgabe, -n  *expense*
Wie viel Geld haben sie pro Monat
übrig?  *How much money do they
have left each month?*
übrig haben  *to have left*
die Lebensversicherung, -en  *life
insurance*
der Baukredit, -e  *mortgage*
der Bausparvertrag, ⁻e  *building
society savings scheme*
die Haushaltskasse, -n  *family budget*
Monatliche Ausgaben für den privaten
Verbrauch in vierköpfigen
Arbeitnehmerfamilien  *monthly
expenses for private consumption in
a four-person working class family*
monatlich  *monthly*
privat  *private*
der Verbrauch  *consumption*
vierköpfig  *consisting of four people*
die Arbeitnehmerfamilie, -n  *working
class family*

insgesamt *total*
der Verdiener, - *earner*
davon für: Möbel ... *of this for:*
 *furniture* ...
davon *of this*
das Haushaltsgerät, -e *household*
 *appliance*
die Haushaltsführung *maintenance*
der Schuh, -e *shoe*
das Verkehrsmittel, - *means of*
 *transportation*
sonstiges *miscellaneous, other*

## Seite 58

der Kavalierstart *racing start*
Mist! *Damn!*
zu viel *too much*
Gas geben *to accelerate*
Jetzt sind die Zündkerzen nass. *Now*
 *the spark plugs are wet.*
die Zündkerze, -n *spark plug*
nass *wet*
Nicht aufs Gaspedal drücken! *Don't*
 *put your foot on the accelerator!*
das Gaspedal, -e *accelerator*
drücken *to press*
Verdammte Mistkarre! *Damned*
 *stupid car!*
verdammt *damned*
die Mistkarre, -n *old banger*
der Verteiler, - *distributor*
die Vorsicht *care*
Lange tut sie's nicht mehr. *It won't*
 *go on for much longer.*
es tun *to work*
Damit die Zündkerzen trocknen ...
 *So that the plugs can dry out ...*
damit *so that*
trocknen *to dry*

# Lektion 5

## Seite 59

sich küssen *to kiss*
sich streiten *to argue*
die Geburt, -en *birth*
erziehen *to bring up*
die Großmutter, ⁚ *grandmother*
die Enkelin, -nen *granddaughter*
der Großvater, ⁚ *grandfather*
der Enkel, - *grandson*

## Seite 60

Ich versuche abzunehmen. *I am*
 *trying to lose weight.*
abnehmen *to lose weight*
die Pünktlichkeit *punctuality*
pünktlich *punctual*
aktiv *active*
unfreundlich *unfriendly*

## Seite 61

Ich hasse es, wenn jemand zu viel
 redet. *I hate it, when someone*
 *talks too much.*
hassen *to hate*
Unhöfliche Leute kann ich nicht
 leiden. *I cannot bear impolite*
 *people.*
unhöflich *impolite*
leiden können *to stand*
der Humor *humour*
die Laune, -n *mood*
dauernd *constantly*
aggressiv *aggressive*
höflich *polite*
doof *stupid*
neugierig *inquisitive*

Mein Freund hat nie Lust, mit mir tanzen zu gehen. *My boy-friend never feels like going dancing with me.*
die Lust *inclination*
sich entschuldigen *to apologise*
sich unterhalten *to chat*
flirten *to flirt*

## Seite 62

Wolfgang ärgert sich, weil die Telefonrechnungen immer sehr hoch sind. *Wolfgang is annoyed because the telephone bills are always very high.*
die Telefonrechnung, -en *telephone bill*
der Eheberater, - *marriage counsellor*
Sie können auch selbst Sätze bilden. *You can also form sentences yourself.*
bilden *to form*
Geld sparen *to save money*
sparen *to save*
Hosen in den Schrank hängen *to hang trousers in the wardrobe*
hängen *to hang*

## Seite 63

das Paar, -e *couple*
Viele möchten in den ersten Ehejahren frei sein und das Leben genießen. *Many couples want to be free in their first years of marriage and enjoy life.*
das Ehejahr, -e *marriage year*
genießen *to enjoy*
Andere wollen zuerst mal Karriere machen und Geld verdienen. *Others want to have a career and earn money.*
die Karriere, -n *career*

die Untersuchung, -en *survey*
Nur 10 Prozent der jungen Ehepaare wollen gleich nach der Heirat Kinder. *Only 10 percent of young married couples want to have children straight after marriage.*
das Prozent, -e *percent*
die Heirat *marriage*
30 Prozent haben keine klare Meinung. *30 percent have no clear opinion.*
klar *clear*
60 Prozent finden, dass berufliche Karriere und Anschaffungen am Anfang der Ehe wichtiger sind. *60 percent think that a professional career and buying things are more important at the start of a marriage.*
die Anschaffung, -en *acquisition*
beruflich *professional*
die Ehe, -n *marriage*
der / die Angestellte, -n *white-collar worker*
der / die Auszubildende, -n (ein Auszubildender) *apprentice, trainee*
die Verlagskauffrau, -en *publishing executive (female)*
die Arzthelferin, -nen *doctor's assistant (female)*
das Baby, -s *baby*
hoffen *to hope*
anschaffen *to acquire*
… dass seine Frau erst noch ihren Abschluss macht. *… that his wife should pass her exams first.*
der Abschluss, ¨e *final exam*

## Seite 64

geb. = geborene *née*
die Hochzeitsreise, -n *honeymoon*
sich verloben *to get engaged*
der Modelldialog, -e *model dialogue*

Machen Sie weitere Dialoge nach
diesem Muster. *Make up further
dialogues according to this pattern.*
das Muster, - *pattern*
der / die Verlobte, -n (ein Verlobter)
*fiancé(e)*
die U-Bahn, -en *underground*
das Urteil, -e *judgment*
die Liebe *love*
Ich bin dagegen, dass eine Ehefrau
arbeitet. *I am against wives
working.*
dagegen *against*
die Ehefrau, -en *wife*
Ich glaube, dass die Ehe die Liebe tötet.
*I think that marriage kills love.*
töten *to kill*
überzeugt *convinced*
Ich bin sicher, dass die Ehe in 50
Jahren tot ist. *I am sure that in 50
years time marriage will be dead.*
tot *dead*
Wie finden Sie die Meinungen der
anderen Kursteilnehmer? *What do
you think of the other course
members' opinions?*
der Kursteilnehmer, - *course member*

## Seite 65

Im Sommer ist es schön, weil ... *In
summer it is nice because ...*
der Sommer, - *summer*
Dann grillen wir immer. *Then we
always have barbecues.*
grillen *to have a barbecue*
die Soße, -n *sauce*
die Hausaufgabe, -n *homework*
Meine Mutter schimpft über die
Unordnung im Kinderzimmer. *My
mother complains about the
untidiness in the children's room.*
schimpfen *to complain*

die Unordnung *untidiness*
Entweder ihr seid still oder ihr geht
gleich ins Bett! *Either you are
quiet or you go straight to bed!*
entweder ... oder ... *either ... or ...*
Ich fühle mich nicht wohl. *I don't
feel well.*
sich wohl fühlen *to feel well*
Nach dem Essen darf ich noch eine
halbe Stunde aufbleiben. *After
supper I am allowed to stay up for
half an hour.*
aufbleiben *to stay up*
Meine Mutter möchte abends
manchmal weggehen. *My mother
would sometimes like to go out in
the evenings.*
weggehen *to go out*

## Seite 66

der Familienabend, -e *family evening*
Der Vater hat schlechte Laune, weil er
sich im Betrieb geärgert hat. *Father
is in a bad mood because something
annoyed him at work.*
der Betrieb, -e *firm*
Die Mutter ist ärgerlich, weil der Vater
abends immer müde ist. *Mother is
cross because father is always tired
in the evenings.*
ärgerlich *cross*
Die Kinder sind abends alleine, weil
die Eltern weggehen. *The children
are alone in the evenings because
the parents go out.*
alleine *alone*
die Stammkneipe, -n *local, favourite
pub*
erst mal *first and foremost*
der Jazztanz *jazz dancing*
das Theaterabonnement, -s *theatre
season ticket*

29

das Menü, -s  *set meal, menu*
die Sauna, -s *oder* Saunen  *sauna*
zweimal pro Woche zum Sport  *twice*
  *a week sport*
zweimal  *twice*
Wie verbringen Günter und Vera ihren
  Feierabend?  *How do Günter and*
  *Vera spend their evenings?*
verbringen  *to spend*
der Feierabend, -e  *evening after*
  *work*

Seite 67

Früher kümmerte sich der Vater nur
  selten um die Kinder.  *In the past*
  *the father used to concern himself*
  *little with the children.*
sich kümmern  *to concern oneself*
Früher erzog man die Kinder sehr
  streng.  *One used to bring up the*
  *children too strictly.*
streng  *strict*
Früher wurden die Kinder geschlagen.
  *Children used to be beaten.*
schlagen  *to hit*
Großeltern *(Plural)*  *grandparents*
Früher lebten keine unverheirateten
  Paare zusammen.  *No unmarried*
  *couples used to live together.*
unverheiratet  *unmarried*
Früher war der Mann der Herr im
  Haus.  *The husband used to be*
  *master in the home.*
der Herr, -en  *master*

Seite 68

Fünf Generationen auf dem Sofa  *Five*
  *generations on the sofa*
die Generation, -en  *generation*
das Sofa, -s  *sofa*
die Urgroßmutter, ⁀  *great-*

grandmother
die Ururgroßmutter, ⁀  *great-great-*
  grandmother
die Ururenkelin, -nen  *great-great-*
  granddaughter
die Erziehung  *bringing-up of*
  children
das Altersheim, -e  *old people's home*
das Enkelkind, -er  *grandchild*
Marias Jugendzeit war sehr hart.
  *Maria's youth was very hard.*
die Jugendzeit  *youth*

Seite 69

das Kindermädchen, -  *children's*
  *nurse, nanny*
Adele lebte als Kind in einem gut-
  bürgerlichen Elternhaus.  *As a*
  *child Adele lived in a middle class*
  *home.*
gutbürgerlich  *middle*
das Elternhaus, ⁀er  *home*
Wirtschaftliche Sorgen kannte die
  Familie nicht.  *The family had no*
  *experience of money worries.*
wirtschaftlich  *economic*
die Sorge, -n  *worry*
der Privatlehrer, -  *private tutor*
Sie waren ihr immer etwas fremd.  *To*
  *an extent they were always strangers*
  *to her.*
fremd  *strange*
Manchmal gab es auch Ohrfeigen.
  *Sometimes she was slapped.*
die Ohrfeige, -n  *slap*
die Mädchenschule, -n  *girls' school*
An ihre eigene Kindheit dachte sie
  schon damals nicht so gern zurück.
  *Even then she did not like to think*
  *back to her own childhood.*
die Kindheit  *childhood*
zurückdenken  *to think back*

Das Wort der Eltern war Gesetz. *The parents' word was law.*
das Gesetz, -e *law*
Sie fühlte sich bei ihren Eltern immer sehr sicher. *She always felt very secure with her parents.*
sich sicher fühlen *to feel safe*
Dann mussten die Kinder gewöhnlich in ihrem Zimmer bleiben. *Then the children usually had to stay in their room.*
gewöhnlich *usually*
leicht *easy*
der Rebell, -en *rebel*
Noch während der Schulzeit zog sie deshalb zu Hause aus. *So she left home while she was still at school.*
während *while, during*
Trotzdem blieb sie mit dem Kind nicht allein. *Nevertheless she did not stay alone with the child.*
allein bleiben *to stay alone*
Auch sie wollten in ihrer Jugend eigentlich anders leben als ihre Eltern. *In their youth, they too wanted to live differently from her parents.*
der/die Verwandte, -n *relative*
die Jugend *youth*
unmöglich *impossible*

## Seite 70

Die Kinder sollen selbstständig und kritisch sein. *Children should be independent and critical.*
kritisch *critical*

## Seite 71

putzen *to clean*
Sport treiben *to do some sport*
der Urgroßvater, ⁒ *great-grandfather*

das Fragespiel, -e *quiz*
der Neffe, -n *nephew*
die Nichte, -n *niece*
der Cousin, -s *cousin (male)*
die Cousine, -n *cousin (female)*
der Schwager, ⁒ *brother-in-law*
die Schwägerin, -nen *sister-in-law*
die Oma, -s *grandma*
der Opa, -s *grandpa*

## Seite 72

Jedenfalls ist er nicht heiß. *In any case it's not hot.*
jedenfalls *in any case*
Aber du kannst doch nicht im Ernst behaupten, Erich, dass … *But Erich, you can't seriously claim that …*
behaupten *to claim*
die Tatsache, -n *fact*
Vorhin hast du gesagt, … *Just now you said …*
vorhin *just now*
jawohl *yes indeed*
lauwarm *lukewarm*

## Lektion 6

## Seite 73

der Frühling *spring*
der Sommer *summer*
der Herbst *autumn*

## Seite 74

die Landschaft, -en *landscape*
das Klima, -s *climate*
Sie können dabei die folgenden Wörter benutzen. *In this you can use the following words.*

31

dabei *in this*
das Grad, -e („20 Grad") *degree („20 degrees")*
Die Sonne scheint. *The sun is shining.*
der Regen *rain*
Es regnet. *It is raining.*
der Nebel *fog*
neblig *foggy*
feucht *damp*
der Schnee *snow*
Es schneit. *It is snowing.*
der Wind, -e *wind*
der Baum, ⁻e *tree*

## Seite 75

In Sibirien kann es extrem kalt sein. *In Siberia it can be extremely cold.*
Sibirien *Siberia*
extrem *extremely*
ungesund *unhealthy*
ideal *ideal*
Es gibt plötzlich sehr starke Winde und gleichzeitig viel Regen. *There are suddenly very strong winds and at the same time a lot of rain.*
Es gibt ... *There is/are ...*
gleichzeitig *at the same time*
der Temperaturunterschied, -e *difference in temperature*
die Wüste, -n *desert*
der Golf, -e *bay*
In den langen Wintern zeigt das Thermometer manchmal bis zu 60 Grad minus. *In the long winters the thermometer sometimes shows up to minus 60 degrees.*
das Thermometer, - *thermometer*
minus *minus*
modern *modern*
das Schiff, -e *ship*

Regenwald, ⁻er *rain forest*
das Gewitter, - *thunder storm*
das Wetteramt, ⁻er *metereological office*
die Wettervorhersage, -n *weather forecast*
die Zeichenerklärung, -en *key to symbols*
wolkenlos *cloudless*
wolkig *cloudy*
bedeckt *overcast*
der Regenschauer, - *shower*
die Kaltfront, -en *cold front*
das Hochdruckgebiet, -e *area of high pressure*
das Tiefdruckgebiet, -e *area of low pressure*
die Luftströmung, -en *air flow*
der Luftdruck *air pressure*
hPa = Hektopascal *hectopascals*
die Wetterlage, -n *weather situation*
Das Tief über Großbritannien zieht allmählich nach Osten. *The low over Great Britain is gradually moving eastwards.*
allmählich *gradually*
die Meeresluft *sea air*
Alpen *(Plural)* *Alps*
die Vorhersage, -n *forecast*
die Tageshöchsttemperatur, -en *maximum daytime temperature*
die Tiefsttemperatur, -en *minimum temperature*
sonnig *sunny*
die Tagestemperatur, -en *daytime temperature*

## Seite 76

die Nordsee *North Sea*
segeln *to sail*
das Tischtennis *table tennis*
die Gartenparty, -s *garden party*

der Reisewetterbericht, -e  *holiday weather forecast*
Griechenland  *Greece*
die Türkei  *Turkey*
Norwegen  *Norway*
Schweden  *Sweden*
Finnland  *Finnland*

## Seite 77

der Bach, ¨e  *stream*
der Berg, -e  *mountain*
das Dorf, ¨er  *village*
das Feld, -er  *field*
der Fluss, ¨e  *river*
das Gebirge, -  *mountain range*
der Hügel, -  *hill*
die Insel, -n  *island*
der Park, -s  *park*
der Rasen  *lawn*
der See, -n  *lake*
der Strand, ¨e  *beach*
das Tal, ¨er  *valley*
das Ufer, -  *shore*
der Wald, ¨er  *forest*
die Wiese, -n  *meadow*

## Seite 78

die Zentrale, -n  *centre*
der Fremdenverkehr  *tourism*
das Preisrätsel, -  *quiz with prizes*
der Handel  *trade*
die Wirtschaft  *economy*
flaches Land im Norden  *flat land in the north*
flach  *flat*
herrlich  *splendid*
das Mittelgebirge, -  *low mountain range*
Auch das überrascht Sie vielleicht: ...  *This will probably surprise you: ...*
überraschen  *to surprise*

die Bodenfläche, -n  *surface*
Machen Sie mit bei unserem Quiz.  *Join in our quiz.*
mitmachen  *to join in*
Beantworten Sie die Fragen.  *Answer the questions.*
beantworten  *to answer*
die Tschechische Republik  *Czech Republic*
an der deutsch-polnischen Grenze  *on the German-Polish border*
polnisch  *Polish*
die Rundreise, -n  *round trip*
die Wochenendreise, -n  *weekend trip*
das Volkslied, -er  *folk song*
die Landkarte, -n  *map*

## Seite 79

Aus welcher Region Ihres Landes kommen Sie?  *From which region of your country do you come?*
die Region, -en  *region*
das Nachbarland, ¨er  *neighbouring country*

## Seite 80

die Schönheit, -en  *beauty*
die Sauberkeit  *cleanliness*
die Mobilität  *mobility*
konsumieren  *to consume*
wegwerfen  *to throw away*

## Seite 81

die Menge, -n  *quantity*
Wir werfen in Deutschland pro Jahr 30 Millionen Tonnen Abfälle auf den Müll.  *In Germany we throw away 30 million tons of waste a year onto the rubbish tip.*
werfen  *to throw*

die Tonne, -n  *ton*
der Abfall, ⸚e  *refuse*
der Müll (hier: = Müllkippe,
  Müllhalde)  *rubbish tip*
Wenn man damit einen Güterzug füllen
  würde, hätte er eine Länge von
  12500 km.  *If you filled a goods
  train with all that, it would be
  12500 km long.*
der Güterzug, ⸚e  *goods train*
füllen  *to fill*
die Länge  *length*
die Strecke, -n  *distance*
Zentralafrika  *Central Africa*
Wir ersticken im Müll.  *We are
  suffocating in rubbish.*
ersticken  *to suffocate*
die Mülldeponie, -n  *waste disposal
  site*
die Müllverbrennungsanlage, -n
  *incinerating plant*
Dabei gibt es hundert Beispiele, wo wir
  völlig sinnlos Müll produzieren.
  *There are hundreds of examples of
  how we produce rubbish quite
  senselessly.*
sinnlos  *senseless*
produzieren  *to produce*
die Plastiktüte, -n  *plastic bag*
die Verpackung, -en  *packaging*
Kaufen Sie bewusst ein!  *Think before
  you buy!*
bewusst  *consciously*
die Verschwendung  *waste*
Ein großer Teil der Dinge … wurde
  industriell produziert.  *A large
  proportion of the things … was
  produced by industry.*
industriell  *industrially*
die Arbeitskraft, ⸚e  *labour*
die Energie, -n  *energy*
der Rohstoff, -e  *raw material*
das Glas  *glass*

die Blechdose, -n  *tin can*
das Recycling  *recycling*
Aus diesem „Müll" können wieder
  neue Produkte aus Glas, Papier und
  Blech hergestellt werden, wenn man
  sie getrennt sammelt.  *From this
  „rubbish" new products can be
  produced, made of glass, paper or
  metal, if they are separately
  collected.*
das Produkt, -e  *product*
das Blech  *metal*
herstellen  *to produce*
getrennt  *separately*
sammeln  *to collect*
Auch Küchenabfälle … sind  eigentlich
  viel zu schade für die  Deponie.
  *Kitchen waste … is also really too
  good for the tip.*
Küchenabfälle *(Plural)*  *kitchen
  waste*
zu schade für  *too good for*
die Deponie, -n  *tip*
die Kompostierung  *making compost*
die Pflanzenerde  *potting compost*
sortieren  *to sort*
die Gefahr, -en  *danger*
das Plastik  *plastic*
der Kunststoff, -e  *plastic*
der Lack, -e  *lacquer*
das Pflanzengift, -e  *weed-killer*
das Putzmittel, -  *cleaning fluids*
die Mischung, -en  *mixture*
Die chemischen Reaktionen dieses
  Müllcocktails kann man nicht
  kontrollieren.  *The chemical
  reactions of these waste cocktails
  cannot be controlled.*
chemisch  *chemical*
die Reaktion, -en  *reaction*
der Müllcocktail  *waste cocktail*
verbrennen  *to incinerate*

34

Aber diese Filter können nur solche Gifte und gefährlichen Stoffe zurückhalten, die bekannt sind.
*But these filters can only keep back known poisons and dangerous substances.*
der Filter, -  *filter*
solch-  *such*
das Gift, -e  *poison*
der Stoff, -e (= Material)  *material*
zurückhalten  *to keep back*
bekannt  *known*
der Experte, -n  *expert*
der Giftstoff, -e  *poison*
die Verbrennung  *incineration*
entstehen  *to result*
das Rauchgas, -e  *fume*
unkontrollierbar  *uncontrollable*
das Grundwasser  *ground water*
die Sammelstelle, -n  *collecting point*
der Problemmüll  *problem waste*

## Seite 82

die Einkaufstasche, -n  *shopping bag*
das Plastikgeschirr  *plastic plates and cutlery*
das Obst  *fruit*
die Tüte, -n  *bag*
die Pfandflasche, -n  *returnable bottle*
die Plastikverpackung, -en  *plastic packaging*
das Spielzeug  *toy*
... Taschentücher aus Stoff benutzen.
*... use fabric handkerchiefs.*
das Taschentuch, ⁻er  *handkerchief*
aus Stoff  *fabric*
der Stoff, -e (= Textilie)  *fabric*
der grüne Punkt  *the green symbol*
das Konzept, -e  *concept*
der Müllberg, -e  *waste montain*
das Motto  *motto*

das Duale System Deutschland AG
*Dual System Germany PLC*
der Umweltschutz  *environmental protection*
die Mülltonne, -n  *dustbin*
so genannt  *so called*
speziell  *special*
der Plastiksack, ⁻e  *plastic sack*
Der Müll wird per Hand sortiert.  *The rubbish is hand-sorted*
recyceln  *to recycle*
gesondert  *separately*
Alt-  *used*
der Biomüll  *bio waste*
der Sondermüll  *special waste*
die Gemeinde, -n  *community*
öffentlich  *public*
der Container, -  *skip*
der Haushalt, -e  *household*
die Pappe  *cardboard*
der Sammelcontainer  *skip*
biologisch  *biological*
das Grundstück  *plot of land*
kompostieren  *to compost*
der Behälter, -  *container*
mobil  *mobile*
der Restmüll  *residual waste*
der Erfolg  *success*
die Umwelt belasten  *to pollute the environment*
belasten  *to pollute*
es ernst meinen  *to take seriously*
vermeiden  *to avoid*

## Seite 83

die Reihenfolge  *sequence*
interviewen  *to interview*
die Mülltrennung  *waste separation*
Dazu kann ich gar nichts sagen.
*I can't say anything about that.*
dazu  *about that*

Das Thema Müll geht mir langsam auf die Nerven. *The topic of waste is slowly getting on my nerves.*

der Nerv, -en *nerve*
der *oder* das Joghurt *yoghurt*
der Plastikbecher, - *plastic pot*
die Plastikdose, -n *plastic box*
die Getränkedose, -n *drink can*
der Mülleimer, - *waste bin*
einkaufen *to buy (in)*

## Seite 84

Ich will nicht klagen. *I don't want to complain.*
klagen *to complain*
friedlich *peaceful*
... vom Lastwagenverkehr abgesehen. *... apart from the lorry traffic.*
Lastwagenverkehr *lorry traffic*
abgesehen von *apart from*
ordentlich *hearty*
das Chlor *chlorine*
Aber das ist ja nicht schädlich. *But that isn't harmful.*
schädlich *harmful*
das Fischmehl *fish meal*
längst *long ago*
gewöhnt *got used to*
der Presslufthammer, ⁼ *pneumatic hammer*
Gewiss, an manchen Stellen roch es nicht so gut, wegen der vielen toten Fische. *Certainly, at some points it did not smell too good, because of the many dead fish.*
riechen *to smell*
wegen *because of*
tot *dead*
Und die Sonne kam auch nicht so recht durch. *And the sun did not come through properly.*

nicht so recht *not properly*
durchkommen *to come through*
dicht *thick*
der Smog *smog*
Aber der kleine Spaziergang hat mir sehr gut getan. *But the little walk did me good.*
gut tun *to do good*
Gewiss, ich ... leide öfter unter Kopfschmerzen. *Certainly, I ... often suffer from headaches.*
leiden *to suffer*
öfter *frequently*
zuweilen *from time to time*
die Übelkeit *nausea*
... was mit der einen oder anderen Allergie zusammenhängt. *... which is linked to one allergy or another.*
die Allergie, -n *allergy*
zusammenhängen *to be connected with*
insgesamt *all in all*
in Anlehnung an *based on*

## Lektion 7

## Seite 85

reservieren *to reserve*
impfen *to vaccinate*
packen *to pack*

## Seite 86

der Fluggast, ⁼e *passenger*
die Tabelle, -n *table*
die Schweizerin, -nen *Swiss (female)*
der Italiener *Italian*
die Gitarre, -n *guitar*
der Teddybär, -en *teddy bear*

der Schirm, -e *umbrella*
die Checkliste, -n *check list*
das Amt, ̈er *office*
die Gepäckversicherung, -en *baggage insurance*
abschließen *to take out*
die Reisekrankenversicherung, -en *travel health insurance*
der Ausweis, -e *identity card*
verlängern *to renew*
Visum beantragen *to apply for a visa*
das Visum, Visa *visa*
beantragen *to apply for*
untersuchen *to examine*
der Reiseprospekt, -e *holiday brochure*
die Flugkarte, -n *air ticket*
bestellen *to order*
die Versicherungskarte, -n *insurance card*
tanken *to fill up*
der Schlüssel, - *key*
zumachen *to close*
der Reisescheck, -s *traveller's cheque*
die Seife, -n *soap*
die Zahnbürste, -n *toothbrush*
die Zahnpasta, Zahnpasten *toothpaste*
das Hemd, -en *shirt*
das Handtuch, ̈er *towel*
das Betttuch, ̈er *sheet*
das Fluggepäck *flight luggage*
wiegen *to weigh*

## Seite 87

die Reiseplanung, -en *holiday planning*
der Campingurlaub *camping holiday*
die Industriemesse, -n *industrial trade fair*
die Liste, -n *list*

das Ferienhaus, ̈er *holiday cottage*
die Geschäftsreise, -n *business trip*
die Messe, -n *trade fair*
der Flug, ̈e *flight*
das Frühjahr *spring*
der Ski, -er *ski*
der Ski-Schuh, -e *ski-boot*

## Seite 88

Wisst ihr, was mir vorige Woche passiert ist? *Do you know what happened to me last week?*
vorig- *last*
Ski fahren *to go skiing*
Da habe ich gemerkt, dass ich weder meinen Pass noch meinen Ausweis dabei hatte. *Then I noticed that I had neither my passport nor my identity card with me.*
merken *to notice*
weder ... noch ... *neither ... nor ...*
dabei haben *to have with one*
normalerweise *normally*
keinen Zweck haben *to be of no use*
der Zweck, -e *use*

## Seite 89

Sie planen eine Reise in die Sahara. *You are planning a journey to the Sahara.*
planen *to plan*
die Sahara *Sahara*
der Pazifische Ozean *Pacific Ocean*
die Antarktis *Antarctica*
die Reisegruppe, -n *tour group*
retten *to save*
Überzeugen Sie Ihre Mitspieler. *Convince your fellow players.*
überzeugen *to convince*
der Mitspieler, - *fellow player*

Nennen Sie Gründe.  *State reasons.*
der Grund, ⁻e  *reason*
die Aluminiumfolie, -n  *aluminium foil*
der Bleistift, -e  *pencil*
die Brille, -n  *spectacles*
der Camping-Gasofen, ⁻  *camping gas stove*
das Familienfoto, -s  *family photo*
der Kochtopf, ⁻e  *cooking pot*
der Kompass, -e  *compass*
das Messer, -  *knife*
das Blatt, ⁻er  *sheet*
die Plastiktasche, -n  *plastic bag*
das Salz  *salt*
die Seife, -n  *soap*
das Seil, -e  *rope*
das Streichholz, ⁻er  *match*
das Telefonbuch, ⁻er  *telephone book*
das Wasser  *water*
die Wolldecke, -n  *blanket*
die Zahnbürste, -n  *toothbrush*
Ich bin dagegen.  *I am against that.*
dagegen  *against it*
das Feuer  *fire*

## Seite 90

das Journal, -e  *journal*
jüngere Leute *(Plural)*  *younger people*
der Job, -s  *job*
dieselb-  *the same*
die Arbeitserlaubnis  *work permit*
der Sprachkurs, -e  *language course*
Wir haben die wichtigsten Informationen für Sie zusammengetragen: …  *We have brought together the most important information for you: …*
zusammentragen  *to bring together*
die EU = die Europäische Union  *European Union*
die Arbeitsstelle, -n  *job*

gelten  *to be valid*
schwierig  *difficult*
Doris Kramer hat gerade ihre Prüfung als Versicherungskauffrau bestanden.  *Doris Kramer has just passed her examination as an insurance executive.*
die Versicherungskauffrau, -en  *insurance executive (female)*
bestehen  *to pass*
Sie spricht mit ihrer Freundin über diesen Plan.  *She is talking to her friend about this plan.*
der Plan, ⁻e  *plan*

## Seite 91

die Reportage, -n  *report*
eine tolle Erfahrung  *a terrific experience*
die Erfahrung, -en  *experience*
Doch nur wenige haben auch den Mut, es zu tun.  *But only a few have the courage to do it.*
der Mut  *courage*
Wir haben uns mit drei Frauen unterhalten, die vor dem Abenteuer Ausland keine Angst hatten.  *We spoke to three women who were not afraid of the adventure of going abroad.*
das Abenteuer, -  *adventure*
die Fremdsprache, -n  *foreign language*
… oder um einfach mal ein Abenteuer zu erleben.  *… or simply to experience an adventure.*
erleben  *to experience*
das Motiv, -e  *motive*
Ich fand mein Leben in Deutschland langweilig und wollte einfach raus.  *I found my life in Germany boring and simply wanted to get out.*

raus  *out*
Südfrankreich  *the South of France*
die Jugendherberge, -n  *youth hostel*
das Bistro, -s  *bistro*
der Besitzer, -  *owner*
1300 Euro netto verdiente sie als
  Bedienung.  *She earned 1300 euros*
  *net as a waitress.*
die Bedienung  *waiter, waitress*
der Eisberg, -e  *iceberg*
Ich konnte wenig Französisch und war
  deshalb sehr kühl, um meine Scheu
  vor den Leuten zu verstecken.
  *I knew only a little French, and was*
  *therefore very cool, in order to hide*
  *my shyness.*
die Scheu  *shyness*
verstecken  *to hide*
der Kontakt, -e  *contact*
Trotzdem empfiehlt sie jedem einen Job
  im Ausland.  *Nonetheless she*
  *would recommend to anyone a job*
  *abroad.*
empfehlen  *to recommend*
die Theaterwissenschaft, -en  *drama*
  *(as a university subject)*
die Mode, -n  *fashion*
die Boutique, -n  *boutique*
die Geschäftsführerin, -nen
  *manageress*
gut bezahlt  *well-paid*
Trotzdem haben es Frauen in
  Deutschland viel leichter, sowohl im
  Beruf als auch im Privatleben.
  *Nonetheless, women in Germany*
  *have it much easier, both at work*
  *and also in their private lives.*
leicht  *easy*
sowohl  *both*
das Privatleben  *private life*
In Italien bestimmen die Männer fast
  alles.  *In Italy the man determines*
  *almost everything.*

bestimmen  *to determine*
Auch hier gibt es Regeln und Gesetze,
  aber die nimmt man nicht so ernst.
  *Here too there are rules and laws,*
  *but they are not taken so seriously.*
die Regel, -n  *rule*
das Gesetz, -e  *law*
ernst nehmen  *to take seriously*
Für Simone Dahms ist London eine
  zweite Heimat geworden.  *For*
  *Simone Dahms London has become*
  *a second home.*
die Heimat  *home*
die Buchhändlerin, -nen  *bookshop*
  *assistant (female)*
überqualifiziert  *over-qualified*
die Abteilungsleiterin, -nen  *head of*
  *department (female)*
Meine Freunde in Deutschland
  reagierten typisch deutsch: ...  *My*
  *friends in Germany had a typically*
  *German reaction: ...*
reagieren  *to react*
Schwierigkeiten hat sie noch mit der
  etwas kühlen Art der Engländer.
  *She still has difficulties with the*
  *English people's rather cool*
  *manner.*
die Schwierigkeit, -en  *difficulty*
kühl  *cool*
die Art  *manner*
So richtige offene und herzliche
  Freundschaften findet man kaum.
  *One hardly ever finds truly open*
  *and warm friendships.*
die Freundschaft, -en  *friendship*
kaum  *scarcely*

## Seite 92

die Kellnerin, -nen  *waitress*
der Wunschberuf, -e  *dream job*
bürokratisch  *bureaucratic*

Wie beliebt sind die deutschen Touristen im Ausland? *How well-liked are German tourists abroad?*

beliebt *popular*
das Reisemagazin, -e *travel magazine*
der Urlaubstip, -s *holiday tip*
durstig *thirsty*
nackt *naked*
geizig *mean*
Deshalb möchten viele Deutsche im Ausland am liebsten nicht als Deutsche erkannt werden. *For this reason many Germans don't want to be recognized abroad as Germans.*
erkennen *to recognize*
Besitzerin einer kleinen Pension *owner of a small guest house*
die Besitzerin, -nen *owner (female)*
der Sonnenschirm, -e *sun-shade*

## Seite 93

das Berufsleben *work*
korrekt *correct*
zuverlässig *dependable*
umweltbewusst *environmentally conscious*
China *China*
logisch *logical*
der Haushaltsplan, ¨e *budget*
der Ausbildungsplan, ¨e *training plan*
Hier ist kein Platz für Gefühle. *There is no room for feelings.*
das Gefühl, -e *feeling*
Man interessiert sich wenig für die Sorgen anderer Menschen. *There is less interest in other people's problems.*
die Sorge, -n *concern*
positiv *positive*

die Hausarbeit, -en *housework*
die Kindererziehung *bringing up the children*
die Schiffbauingenieurin, -nen *shipbuildling engineer (female)*
das Berufspraktikum, Berufspraktika *work experience*
Obwohl sie große Ähnlichkeiten zwischen der deutschen und amerikanischen Arbeitswelt sieht, ... *Although she sees great similarities between the German and American working world, ...*
die Ähnlichkeit, -en *similarity*
die Arbeitswelt *working world*
... ist sie doch erstaunt, wie groß hier die soziale Sicherheit besonders für Mütter mit Kleinkindern ist. *... she is nonetheless surprised how extensive the social security is, especially for mothers with small children.*
erstaunt *astonished*
die Sicherheit, -en *security*
das Kleinkind, -er *small child*
das Erziehungsgeld *child benefit*
die Reservierung, -en *reserving, reservation*
Aber das ist vorbei. *But that is all over.*
vorbei *past*
... und dass sie im Beruf leichter Karriere machen können als in den USA. *... and that they can make a career for themselves more easily than in the USA.*
Karriere machen *to make a career*
tolerant *tolerant*
der Amerikaner, - *American*
Urlaubszeiten *(Plural)* *holidays*
das Umweltbewusstsein *environmental awareness*

40

Wie sehr wir in den USA die Natur kaputtmachen, ist mir erst in Deutschland aufgefallen. *Only when I got to Germany did I realise how much we, in the USA, are destroying nature.*
kaputtmachen *to destroy*
auffallen *to be apparent*
Hier wird man sogar komisch angeguckt, wenn man Papier auf die Straße wirft. *Here they look at you in a funny way if you drop paper in the street.*
angucken *to look at*
Die Frauen sind zu emanzipiert. *Women are too emancipated.*
emanzipiert *emancipated*
die Germanistik *German (as a university subject)*
Die Deutschen sind viel spontaner als die Chinesen. *Germans are far more spontaneous than the Chinese.*
spontan *spontaneous*
der Chinese, -n *Chinese*
hektisch *hectic*
Ihre Küche ist nicht automatisiert und ihr Mann hilft kaum im Haushalt. *Her kitchen is not automated and her husband hardly helps at all around the house.*
automatisiert *automated*
chinesisch *Chinese*

## Seite 94

Das Pronomen „sie" hat in den Sätzen verschiedene Bedeutungen. *In the following sentences the pronoun „sie" has different meanings.*
die Bedeutung, -en *meaning*
egoistisch *egoistical*

Sie zeigen, was sie denken und fühlen. *They show what they think and feel.*
fühlen *to feel*
Der Verstand ist für sie wichtiger als das Herz. *Reason is more important for them than feelings.*
der Verstand *understanding*
das Herz, -en *heart*
Wie finden Sie Ihre eigenen Landsleute? *What do you think about your compatriots?*

## Seite 95

der Kommentar, -e *commentary*
auswandern *to emigrate*
einwandern *to immigrate*
das Asyl *asylum*
Die meisten Deutschen sind deshalb für eine Änderung des Ausländer- und Asylgesetzes. *So most Germans are in favour of changing the Foreigners and Asylum Act.*
die Änderung, -en *change*
Die Zahlen steigen sogar. *The numbers are even rising.*
steigen *to rise*
Diese Deutschen hoffen genauso auf Gastfreundschaft in ihren neuen Heimatländern wie ... *These Germans hope for hospitality in their new home countries just as much as ...*
die Gastfreundschaft *hospitality*
das Heimatland, -̈er *home country*
einreisen *to immigrate*
Das sollten wir bei der Diskussion um ... nicht vergessen. *We should not forget this in the discussion about ...*
die Diskussion, -en *discussion*
darunter (in 1000) *under it (in 1000's)*

41

darunter  *under it*
der Türke, -n  *Turk*
der Pole, -n  *Pole*
der Rumäne, -n  *Romanian*
der Spanier, -  *Spaniard*
der Niederländer, -  *Dutchman*
der US-Amerikaner, -  *American*
der Portugiese, -n  *Portuguese*
der Vietnamese, -n  *Vietnamese*
der Kroate, -n  *Croat*
der Marokkaner, -  *Moroccan*
der Tscheche, -n  *Czech*
der Slowake, -n  *Slovak*
der Ungar, -n  *Hungarian*
ehem. = ehemalig  *former*
der Sowjetbürger, -  *Soviet citizen*
der Bulgare, -n  *Bulgarian*
der Srilanker, -  *Sri Lankan*
der Afghane, -n  *Afghan*
der Inder, -  *Indian*
der / die Verwandte, -n (ein
    Verwandter)  *relative*
das Praktikum, Praktika  *training
    placement*

## Seite 96

Urlaubspläne *(Plural)*  *holiday plans*
die Karibik  *Caribbean*
tauchen  *to dive*
Donnerwetter!  *Heavens!*
Kenia  *Kenya*
der Löwe, -n  *lion*
der Elefant, -en  *elephant*
Das ist ganz in der Nähe von Ober-
    Hengsbach.  *That is quite near
    Ober-Hengsbach*
in der Nähe von  *near*
Und warum ausgerechnet nach Unter-
    Hengsbach?  *And why to Unter-
    Hengsbach of all places?*
ausgerechnet  *in particular*

Um die Zeit ist es in Unter-Hengsbach
    herrlich ruhig.  *At this time of year
    Unter-Hengsbach is wonderfully
    quiet.*
herrlich  *wonderfully*

## Lektion 8

## Seite 97

die BRD = Bundesrepublik
    Deutschland  *Federal Republic of
    Germany*
die DDR = Deutsche Demokratische
    Republik  *German Democratic
    Republic*
der Bundestag  *Lower house (of the
    German Parliament)*
der Bundesadler  *Federal Eagle*
die Bundesregierung  *Federal
    Government*
der Bundestagspräsident,-en
    *President of the Bundestag*
der Einwohner, -  *inhabitant*

## Seite 98

die Schlagzeile, -n  *headline*
das Wahlrecht  *voting rights*
ausländisch  *foreign*
der Arbeitnehmer, -  *worker,
    employee*
der Fußballstar, -s  *football star*
die Verletzung, -en  *injury*
der Preiskrieg, -e  *price war*
die Zigarettenindustrie  *cigarette
    industry*
das Stadion, -s  *stadium*
der Fußballverein, -e  *football club*
enttäuscht  *disappointed*
der Zollbeamte, -n  *customs official*

streiken *to strike*
der Verkehrsunfall, ⸚e *road accident*
Durch den Steuerskandal: ... *As a result of the tax scandal:* ...
der Steuerskandal, -e *tax scandal*
die Regierungskrise, -n *government crisis*
Argentinien *Argentina*
das Parlament, -e *parliament*
die Straßenbahn, -en *tram*
Außer dem Fahrer niemand verletzt *No-one injured apart from the driver*
außer *apart from*
der Fahrer, - *driver*
verletzt *injured*
der Sportplatz, ⸚e *sports ground*
die Knieoperation, -en *knee operation*
der HSV = der Hamburger Sportverein *Hamburg Sport Club (football team)*
der Raucher, - *smoker*
sparen *to save*
Welche Nachrichten gehören zu welcher Rubrik? *Which news belongs to which section?*
die Rubrik, -en *section*
die Wirtschaft *economy*
der Lokalteil, -e *local section*
die Innenpolitik *home news*

## Seite 99

der Briefumschlag, ⸚e *envelope*
Pakete und Päckchen für Weihnachten bleiben wegen des Poststreiks liegen. *Parcels and small packets for Christmas are left on account of postal strike.*
das Paket, -e *parcel*
das Päckchen, - *small packet*
liegen bleiben *to be left*

der Poststreik, -s *postal strike*
der Lebensmittel-Laden, ⸚ *grocery store*
der Stadtteil, -e *suburb*
das Einkaufszentrum, Einkaufszentren *shopping centre*
demonstrieren *to demonstrate*
das Ausländergesetz, -e *Law on Foreigners*
Fabrik durch Feuer zerstört. *Factory destroyed by fire.*
die Fabrik, -en *factory*
zerstören *to destroy*
das Verkehrsproblem, -e *traffic problem*
das Stadtzentrum, Stadtzentren *town/city centre*
Ein Reporter hat vier Personen interviewt, die von den Ereignissen auf den Bildern erzählen. *A reporter interviewed four people who talk about the events in the pictures.*
das Ereignis, -se *event*

## Seite 100

Machen Sie mit Ihrem Nachbarn aktuelle Schlagzeilen zu Politik, Wirtschaft, ... *With your neighbour, make up headlines about current events in politics, the economy, ...*
aktuell *current*
die Lokalnachricht, -en *local news*
der Klatsch *gossip*
die Öl-Katastrophe, -n *oil catastrophe*
Tanker vor britischem Vogelparadies gestrandet *Tanker stranded off British bird sanctuary*
der Tanker, - *tanker*
britisch *British*

das Vogelparadies, -e *bird sanctuary*
stranden *to strand*
Mafia-Boss in Palermo verhaftet
  *Mafia boss arrested in Palermo*
der Mafia-Boss *Mafia boss*
verhaften *to arrest*
die Braut, ⁀e *bride*
das Blaulicht *flashing lights*
Mehrere Kandidaten für tschechische
  Präsidentschaft *Several candidates*
  *for Czech Presidency*
der Kandidat, -en *candidate*
die Präsidentschaft *presidency*
Wahlchancen *(Plural)* *election*
  *hopes*
sinken *to sink*
das Grab, ⁀er *grave*
die Rose, -n *rose*
die Freiheitsstrafe, -n *prison sentence*
die Probefahrt, -en *test drive*
Bayern *Bavaria*
das Luxusauto, -s *luxury car*
rauben *to steal, to rob*
der Mordanschlag, ⁀e *assassination*
  *attempt*
der Vizepräsident, -en *Vice President*
töten *to kill*
Kurdin erkämpft Aufenthalt –
  Rechtsstreit um Ausweisung
  gewonnen *Kurdish woman wins*
  *right to stay – legal battle against*
  *extradition won*
die Kurdin, -nen *Kurd (female)*
erkämpfen *to win by fighting*
der Aufenthalt *residence*
die Ausweisung, -en *extradition*
gefangen *caught*
Wo ist der Friede in Gefahr? *Where*
  *is peace in danger?*
der Friede *peace*
in Gefahr sein *to be in danger*
die Gefahr, -en *danger*

der Bürgerkrieg, -e *civil war*
die Regierungskrise, -n *government*
  *crisis*
die Konferenz, -en *conference*
der Vertrag, ⁀e *treaty*
unterschreiben *to sign*
zurücktreten *to resign*
die Demonstration, -en
  *demonstration*
das Umweltproblem, -e
  *environmental problem*
das Unglück, -e *serious accident*
die Katastrophe, -n *catastrophe*
Wo ist ein Verbrechen geschehen?
  *Where was a crime committed?*
das Verbrechen, - *crime*
geschehen *to take place, to happen*
der Skandal, -e *scandal*
die Meisterschaft, -en *championship*

## Seite 101

der / die Abgeordnete, -n (ein Abgeord-
  neter) *deputy, member of*
  *parliament*
AP (= Associated Press) *AP*
die Mehrheit, -en *majority*
beschließen *to decide*
der Beschluss, ⁀e *decision*
dpa (= Deutsche Presse-Agentur)
  *DPA (German Press Agency)*
Eine große Gruppe von Abgeordneten
  fast aller Parteien fordert ein neues
  Wahlrecht. *A large group of*
  *deputies from almost all parties is*
  *demanding a new electoral law.*
die Partei, -en *party*
fordern *demand*
Der Vorschlag, für den eine Änderung
  der Verfassung notwendig ist, wird
  diese Woche im Bundestag
  diskutiert. *The proposal, which*

*would require a change in the constitution, will be discussed in the Bundestag this week.*

der Vorschlag, ⁀e *proposal*
die Änderung, -en *change*
die Verfassung, -en *constitution*
die Landtagswahl, -en *state elections*
eig. Ber. = eigener Bericht *from a staff reporter*
der Sozialdemokrat, -en *social democrat*
christlich *christian*
die CDU = die Christlich-Demokratische Union (Deutschlands) *Christian Democratic Union*
die SPD = die Sozialdemokratische Partei Deutschlands *Social Democratic Party of Germany*
die Stimme, -n *vote*
der Ministerpräsident, -en *prime minister*
die FDP = die Freie Demokratische Partei (Deutschlands) *Free Democratic Party*
die PDS = die Partei des demokratischen Sozialismus *Democratic socialist Party*
demokratisch *democratic*
der Bundespräsident, -en *Federal President*
der Staatsbesuch, -e *state visit*
viertägig *four-day*
Er wurde im königlichen Schloss begrüßt. *He was welcomed in the royal palace.*
der Wirtschaftsminister, - *finance minister*
drohen *to threaten*
der Rücktritt, -e *resignation*
der Bundeswirtschaftsminister, - *federal finance minister*

das Kabinett, -e *cabinet*
die Subvention, -en *subsidy*
die Milliarde, -n *thousand million / billion (US)*
kürzen *to reduce*
der Bundesrat *Upper house / Senate*
die Reform, -en *reform*
das Mehrwertsteuergesetz, -e *Law on value added tax*
das Bundesland, ⁀er *federal state*
das Gesetz, -e *law*
die Mehrwertsteuer, -n *value added tax*
schleswig-holsteinisch *of Schleswig-Holstein*
das Geldproblem, -e *financial problem*
Die alte Koalition aus SPD und PDS hat damit ihre Mehrheit im Landtag verloren. *Thus the former coalition between SPD and PDS lost its majority in the regional parliament.*
die Koalition, -en *coalition*
der Landtag, -e *state parliament*
die Opposition *opposition*
das Wahlgesetz, -e *election law*
Ohne ihre Stimmen aber gibt es keine Zwei-Drittel-Mehrheit für eine Verfassungsänderung. *Without their votes there will be no two-thirds majority for a change in the constitution.*
die Zwei-Drittel-Mehrheit, -en *two-thirds majority*
der Bürger, - *citizen*
das Kommunalparlament, -e *local parliament*
sparen *to save*
verkleinern *to reduce*
Sie erinnerte an einen Satz des Finanzministers: … *She recalled a statement by the finance minister: …*

erinnern *to recall*
der Finanzminister, - *finance minister*
der Bundesaußenminister, - *federal foreign minister*
begleiten *to accompany*
spanisch *Spanish*
ein Gespräch führen *to hold talks*
Wenn das Ziel nicht erreicht wird, dann hat die Bundesregierung einen neuen Wirtschaftsminister. *If this goal is not reached, the federal government will have a new finance minister.*
das Ziel, -e *goal*
erreichen *to reach*
Der Minister hofft, dass das Kabinett seinem Vorschlag folgt. *The minister hopes that the cabinet will go along with his proposal.*
folgen *to go along with*
die Alternative, -n *alternative*
Schulden *(Plural)* *debts*
kommentieren *to comment on*
Einen Rücktrittswunsch kann ich auch annehmen. *I can also accept a resignation request.*
der Rücktrittswunsch, ⁻e *resignation request*
annehmen *to accept*
zusammensetzen *to assemble*
der Zeitungstext, -e *newspaper article*
das System, -e *system*

## Seite 102

das Wahlsystem, -e *electoral system*
der Bund *Federation*
der Bundesminister, - *Federal Minister*
repräsentative Aufgaben *(Plural)* *public duties*

repräsentativ *representative*
die Aufgabe, -n *task*
der Landesminister, - *state minister*
der Ministerpräsident, -en *prime minister*
die Landesregierung, -en *state government*
das Parlament, -e *parliament*
der Bundesrat *upper house/ Senate*
die Parlamentskammer, -n *chamber*
der Landtag, -e *state parliament*
der Wähler, - *voter*
Beschreiben Sie die Darstellung. *Describe the diagram.*
die Darstellung, -en *diagram*
national *national*
der Regierungschef, -s *head of government*
Er wird nicht direkt vom Volk gewählt, sondern von den Abgeordneten. *He is not directly elected by the people but by the deputies.*
das Volk *people*
wählen *to elect*
ernennen *to appoint*
das Bundesland, ⁻er *federal state*
das Landesparlament, -e *state parliament*
das Mitglied, -er *member*
der Staatschef, -s *head of state*

## Seite 103

das Politik-Quiz *political quiz*
Wann wurde die Bundesrepublik Deutschland gegründet? *When was the Federal Republic founded?*
gründen *to found*
der 2. Weltkrieg *Second World War*
sozialistisch *socialist*
die parlamentarische Demokratie, -n *parliamentary democracy*
die Monarchie, -n *monarchy*

nationalistisch *nationalist*
konservativ *conservative*
liberal *liberal*
ökonomisch *economic*
demokratisch *democratic*
befreundet *on friendly terms*
das Regionalparlament, -e *regional parliament*

Seite 104

unabhängig *independent*
die Sowjetunion *Soviet Union*
unter dem Einfluss von ... stehen *to be under the influence of ...*
der Einfluss, ¨e *influence*
Im März 1952 schlug die Sowjetunion ... einen Friedensvertrag für Deutschland vor. *In March 1952 the Soviet Union proposed ... a peace treaty for Germany.*
vorschlagen *to propose*
der Friedensvertrag, ¨e *peace treaty*
der Vertrag, ¨e *treaty*
neutral *neutral*
West-Alliierten *(Plural)* *Western allies*
Ein neutrales Deutschland wäre ... von der Sowjetunion abhängig. *A neutral Germany would be ... dependent on the Soviet Union.*
abhängig *dependent*
Auch die damalige Regierung entschied sich für die Bindung an den Westen. *The government of the day also decided on ties with the West.*
damalig- *at that time*
die Bindung, -en *link, bond*
die Armee, -n *army*
der Warschauer Pakt *Warsaw Pact*
die NATO (= North Atlantic Treaty Organization) *NATO*

Während es in der DDR große wirtschaftliche Probleme gab, entwickelte sich die Wirtschaft in der Bundesrepublik sehr positiv. *Whereas the GDR had major economic problems, the economic development of the Federal Republic was very positive.*
während *while*
wirtschaftlich *economic*
entwickeln *to develop*
positiv *positive*
Tausende *thousands*
flüchten *to flee*
Die DDR schloss schließlich ihre Grenze zur Bundesrepublik. *In the end the GDR closed its borders to the Federal Republic.*
schließen *to close*
die Waffengewalt *force of arms*
die Lücke, -n *gap*
das Grundgesetz *Constitution*
beitreten *to join*
nach Artikel 23 des Grundgesetzes *according to article 23 of the Constitution*
der Artikel, - *article*
erstellen *to draw up*
die Zeitleiste, -n *chronology*

Seite 105

Am 10. Oktober 1949 nimmt die Regierung der Deutschen Demokratischen Republik unter Otto Grotewohl ihre Tätigkeit auf. *On 10th October 1949 the government of the German Democratic Republic under Otto Grotewohl started work.*
demokratisch *democratic*
eine Tätigkeit aufnehmen *to take up work*

die Einheit *unity*
erinnern *to recall, to commemorate*
Wirtschaftskontakte *(Plural)*
*economic contacts*
Im Juni 1953 kam es ... zu Streiks
und Demonstrationen gegen die
kommunistische Diktatur und die
Wirtschaftspolitik. *In June 1953*
*there were ... strikes and*
*demonstrations against the*
*Communist dictatorship and the*
*economic policies.*
der Streik, -s *strike*
kommunistisch *communist*
die Diktatur, -en *dictatorship*
die Wirtschaftspolitik *economic*
*policy*
Sowjetische Panzer sorgten wieder für
Ruhe. *Soviet tanks ensured calm.*
sowjetisch *Soviet*
der Panzer, - *tank*
für Ruhe sorgen *to ensure calm*
die Mehrheit, -en *majority*
Ende der sechziger Jahre gab es jedoch
starke Proteste. *However at the*
*end of the sixties there were loud*
*protests.*
jedoch *however*
der Protest, -e *protest*
die Studentendemonstration, -en
*student demonstration*
kapitalistisch *capitalist*
eng *close*
der Beginn *start*
so genannt- *so-called*
die Grundlage, -n *basis*
der Kontakt, -e *contact*
der Bundesbürger, - *West German*
Allerdings durften nur wenige DDR-
Bürger in den Westen reisen.
*Though only a few GDR citizens*
*could travel to the West.*
allerdings *though*

öffnen *to open*
Ungarn *Hungary*
die Flucht *flight*
möglich *possible*
die Botschaft, -en *embassy*
Warschau *Warsaw*
die Ausreise *emigration, exit*
erhalten *to receive*
Bald kam es in Leipzig ... zu Massen-
demonstrationen. *Soon there were*
*... mass demonstrations in Leipzig.*
die Massendemonstration, -en *mass*
*demonstration*
Zuerst ging es um freie Ausreise in die
westlichen Länder. *First of all the*
*call was for freedom to travel to*
*Western countries.*
westlich *Western*
Aber bald wurde der Ruf nach
„Wiedervereinigung" immer lauter.
*But soon the call for „reunification"*
*became louder and louder.*
der Ruf, -e *call*
die Wiedervereinigung *reunification*
die Oppositionsgruppe, -n *opposition*
*group*
entstehen *to come into being*
die Sozialistische Einheitspartei
Deutschlands *Socialist Unity Party*
*of Germany*
so weit sein *to have got so far*
sich verabschieden *to take leave*
gesamtdeutsch *all-German*

## Seite 106

die Pressekonferenz, -en *press*
*conference*
das Flüchtlingsproblem, -e *refugee*
*problem*
der Sprecher, - *spokesperson*
sich entschließen *to decide*

eine Regelung treffen  *to make a regulation*

die Regelung, -en  *regulation*

möglich  *possible*

der Grenzübergangspunkt, -e  *border crossing point*

ausreisen  *to leave the country*

die Sensation, -en  *sensation*

die Fernsehnachricht, -en  *television news*

Zehntausende  *tens of thousands*

An den Grenzen herrscht Volksfeststimmung.  *At the borders the mood was that of a fairground.*

herrschen  *to predominate*

das Volksfest, -e  *fairground*

die Stimmung, -en  *mood*

der Regierende Bürgermeister  *Governing Mayor*

zusammenfassen  *to sum up*

beinahe  *almost*

ohnmächtig sein  *to have fainted*

das Schaufenster, -  *shop window*

der Sekt  *sparkling wine, German champagne*

dankbar  *grateful*

der Empfang, -̈e  *reception*

hinüberfahren  *to cross over*

Einige wollen eine ökologische Gesellschaft in der DDR aufbauen.  *Some want to build an ecological society in the GDR.*

ökologisch  *ecological*

die Gesellschaft, -en  *society*

aufbauen  *to build up*

verreisen  *to travel*

## Seite 107

über 200 000 Menschen  *over 200 000 people*

fliehen  *to flee*

rund 410 000  *some 410 000*

legal  *legally*

illegal  *illegally*

Dies waren die wichtigsten Gründe, warum sie die DDR verlassen haben:  *... These were the most important reasons why they left the GDR: ...*

dies  *this, these*

westlich  *Western*

zu wenig  *too little*

die Behörde, -n  *authority*

der Sozialismus  *socialism*

der Buchautor, -en  *writer*

seitdem  *since then*

## Seite 108

der Hase, -n  *hare*

das Feld, -er  *field*

die Wiese, -n  *meadow*

ausgetrocknet  *dried out*

Was werden Sie dagegen tun?  *What are you going to do about it?*

dagegen  *against it*

der Wolf, -̈e  *wolf*

Die letzten Umfragen zeigen ja eindeutig, dass der Wähler uns vertraut.  *The most recent polls show clearly that the voters have confidence in us.*

die Umfrage, -n  *survey*

eindeutig  *unambiguously*

vertrauen  *to trust*

die Trockenheit  *drought*

Im Unterschied zur Opposition ...  *In contrast to the opposition ...*

die Opposition  *opposition*

offensichtlich  *obviously*

ratlos  *at a loss (for ideas)*

sich Gedanken machen  *to give consideration*

der Gedanke, -n  *thought*

drängend  *urgent*

die Entschiedenheit  *decisiveness*

49

in Angriff nehmen  *to tackle*
der Angriff, -e  *attack*
bekämpfen  *to combat*
konkret  *precisely*
Wir sind uns unserer Verantwortung
voll und ganz bewusst.  *We are
fully aware of our responsibility.*
die Verantwortung  *responsibility*
bewusst  *aware*
der Realist, -en  *realist*
der Träumer, -  *dreamer*
Haben Sie schon konkrete Maßnah-
men ins Auge gefasst?  *Have you
envisaged any concrete measures?*
die Maßnahme, -n  *measure*
ins Auge fassen  *to envisage*
Meine Freunde und ich stimmen darin
überein, dass ...  *My friends and I
are in agreement that ...*
darin  *in that*
übereinstimmen  *to be in agreement*
die Entschlossenheit  *determination*
Probleme lösen  *to solve problems*
im Auftrag der Wähler  *on the voters'
behalf*
der Auftrag, ⁼e  *order*
leiden  *to suffer*
Ich bin persönlich der Meinung, dass
... alles, was den Bürger bedrückt
... *I am personally of the opinion
that ... everything that weighs
upon the voters ...*
bedrücken  *to depress*
ernst nehmen  *to take seriously*

## Lektion 9

die Rentnerin, -nen  *pensioner
(female)*

der Rentner, -  *pensioner (male)*
Gräber pflegen  *to tend graves*
das Grab, ⁼er  *grave*
Ausflüge machen  *to go on excursions*
der Ausflug, -:e  *excursion*

Lesen Sie, was unsere Leser zu diesem
Thema schreiben.  *Read what our
readers write on this topic.*
der Leser, -  *reader*
Wir möchten sie schon lange in ein
Altersheim bringen, aber wir finden
keinen Platz für sie.  *We have
wanted for a long time to get her
into an old people's home, but we
cannot find a place for her.*
das Altersheim, -e  *old people's home*
enttäuscht  *let down, disappointed*
danken  *to thank*
Großeltern *(Plural)*  *grandparents*
Schulaufgaben *(Plural)*  *homework*
das Märchen, -  *fairy tale*
der Zoo, -s  *zoo*
Und die Großeltern fühlen sich durch
die Kinder wieder jung.  *And
because of the children the
grandparents feel young.*
sich fühlen  *to feel*
durch  *because of*
Ich wünsche mir nur, dass ich gesund
bleibe.  *My only wish is that I
should stay healthy.*
sich wünschen  *to wish*
das Diskussionsthema,
Diskussionsthemen  *discussion
topic*

das Familienleben stören  *to disturb
family life*

Welche Alternativen gibt es noch für alte Menschen? *What other alternatives exist for old people?*

die Alternative, -n *alternative*

die Wohngemeinschaft, -en *flat-sharing community*

die Altenwohnung, -en *old people's flat, retirement home*

die Altensiedlung, -en *old people's settlement*

Wohnung in der Nähe von Angehörigen *living near relatives*

der / die Angehörige, -n (ein Angehöriger) *relative*

## Seite 112

der Lebensabend *eve of life*

das Seniorenheim, -e *senior citizens' home*

in einem Vorort von Stuttgart *in a Stuttgart suburb*

der Vorort, -e *suburb*

das Kleinappartement, -s *flatlet*

der Pensionär, -e *pensioner*

sich einrichten *to furnish one's home*

die Pflege *care*

das Sekretariat, -e *secretariat, secretary's office*

privat *private*

das Pflegeheim, -e *nursing home*

die Stadtmitte *town centre*

Wir betreuen, pflegen und versorgen alte und kranke Menschen in einer angenehmen, wohnlichen Atmosphäre. *We look after, nurse and care for old and sick people in a pleasant, homely atmosphere.*

betreuen *to look after*

pflegen *to nurse*

versorgen *to care for*

wohnlich *homely*

die Atmosphäre *atmosphere*

Altenheim der evangelischen Kirche *Protestant Church old people's home*

das Altenheim, -e *old people's home*

evangelisch *protestant*

Gemeinschaft – Sicherheit – Pflege bietet der Aufenthalt im Senioren- und Pflegeheim „Johanneshaus" in Saarbrücken. *Community, safety, care — this is what you get from a stay at the „Johanneshaus" residential and nursing home in Saarbrücken.*

die Gemeinschaft, -en *community*

der Aufenthalt, -e *stay*

der Stadtrand *outskirts of town*

nur 15 Busminuten von der City *only 15 minutes by bus from the city centre*

die City, -s *city centre*

Die Bewohner leben in hellen, speziell für alte Leute eingerichteten 1- u. 2-Bett-Zimmern. *The residents live in bright single or twin-bedded rooms specially equipped for old people.*

der Bewohner, - *resident*

speziell *specially*

eingerichtet *equipped*

das 2-Bett-Zimmer, - *twin-bedded room*

das WC, -s *WC, toilet*

der TV-Anschluss, -e *TV socket*

Das Haus hat alle Einrichtungen für eine moderne Pflege. *The home has all the equipment for modern-day care.*

die Einrichtung, -en *equipment*

Freizeitmöglichkeiten *(Plural) leisure activities*

der Videofilm, -e *video film*

die Busfahrt, -en *bus trip*

der Hobbyraum, -e *hobby room*

Das Haus ist offen für Privatzahler und für Personen, deren Kosten von der Pflegeversicherung oder vom Sozialamt bezahlt werden. *The home is open to those paying privately and also to people whose costs are being borne by care insurance schemes or by social services.*

deren *whose*

die Pflegeversicherung, -en *care insurance*

das Sozialamt, ˸er *social services*

das Heim, -e *home*

die Veranstaltung, -en *event*

die Lage *situation*

der Kontakt, -e *contact*

Diskutieren Sie die Bedingungen für ein ideales Altenheim. *Discuss the conditions for an ideal old people's home.*

die Bedingung, -en *condition*

das Seniorentreffen, - *senior citizens' get-together*

Notieren Sie die Angaben zu jeder der vier Personen. *Make a note of the details for each of the four people.*

notieren *to note*

die Angabe, -n *detail*

verwitwet *widowed*

## Seite 113

das Statistische Bundesamt *Federal Statistics Office*

Bevölkerung nach 5-Jahres-Altersgruppen und Geschlecht *Population in 5-year age groups and sex*

die Bevölkerung *population*

5-Jahres-Altersgruppen *(Plural) 5-year age groups*

das Geschlecht, -er *sex*

männlich *male*

weiblich *female*

Auf je 100 Einwohner kommen so viele Ältere: ... *Out of 100 inhabitants there are so many older people: ...*

je *every*

der / die Ältere, -n (ein Älterer) *older person*

Gesamtdeutschland *all of Germany*

DIW = Deutsches Institut für Wirtschaftsforschung *German Institute for Economic Research*

die Schätzung, -en *estimate*

Was sagen die Statistiken aus? *What do the statistics tell us?*

aussagen *to express*

die Statistik, -en *statistic*

die Mehrheit, -en *majority*

Welche Probleme und Konsequenzen kann es geben? *What problems and consequences might there be?*

die Konsequenz, -en *consequence*

das Finanzproblem, -e *financial problem*

die Rentenversicherung *pension insurance*

besondere Artikel für alte Leute *special articles for old people*

der Artikel, - *article*

Die Kosten für die Krankenversicherung steigen. *The costs for health insurance are rising.*

die Krankenversicherung, -en *health insurance*

steigen *to rise*

das Pflegepersonal *nursing staff*

Industrie und Handel *industry and trade*

häufig *frequently*

... weil viele alte Leute sich nicht mehr selbst versorgen können. ... *because many old people cannot look after themselves any longer.*

versorgen *to look after*
... weil sie bei Wahlen mehr Stimmen
als früher haben. *... because they
have more votes than they used to.*
die Stimme, -n *vote*
das Bedürfnis, -se *need*
... weil es nicht genug junge
Arbeitskräfte gibt. *... because there
are not enough young workers.*
Arbeitskräfte *(Plural)* *labour force,
workforce*

## Seite 114

der Möbelschreiner, - *carpenter*
Er wird Chef im Haus, wo vorher die
Frau regierte. *He is head of the
house, where his wife used to rule.*
regieren *to rule*
Wie das aussieht, erzählt (nicht ganz
ernst) Frau Bauer. *Frau Bauer
describes (not too seriously) what
this means in practice.*
aussehen *to appear*
So lebte ich, bevor mein Mann Rentner
wurde: ... *This is how I lived
before my husband became a
pensioner: ...*
bevor *before*
Neben dem Haushalt hatte ich viel Zeit
zum ... *Alongside the housework I
had a lot of time to ...*
neben *alongside*
das Klavier, -e *piano*
extra für mich *specially for me*
extra *extra, specially*
sparen *to save*
In der Küche muss ich mich beeilen,
weil das Mittagessen um 12 Uhr
fertig sein muss. *In the kitchen I
have to hurry, because lunch must
be ready at 12.*
sich beeilen *to hurry*

Während er schläft, backe ich nach
dem Mittagessen noch einen Kuchen.
*While he has a sleep after lunch, I
bake a cake.*
während *while*
schlafen *to sleep*
Er schneidet die Anzeigen der Super-
märkte aus der Zeitung aus. *He
cuts the supermarket adverts out
of the paper.*
ausschneiden *to cut out*
Als alter Handwerker repariert er
natürlich ständig etwas. *As an old
craftsman, he is of course always
mending something.*
der Handwerker, - *craftsman*
ständig *constantly*
der Elektroofen, ⁻ *electric stove*
der Hof, ⁻e *yard*
das Holzregal, -e *wooden shelf*
Leider braucht er wie in seinem alten
Beruf einen Assistenten, der tun
muss, was er sagt. *Unfortunately,
just as in his old job, he needs an
assistant who has to do what he
says.*
der Assistent, -en *assistant*

## Seite 115

Moment! *Just a minute!*
die Bürste, -n *brush*
der Kugelschreiber, - *biro*
der Verein, -e *club*
Karten spielen *to play cards*

## Seite 116

Viele Paare feiern nach 25 Ehejahren
die „silberne Hochzeit". *Many
couples celebrate their Silver
Wedding after 25 years of marriage.*
das Paar, -e *couple*

Und ganz wenige Glückliche können nach 65 gemeinsam erlebten Jahren die „eiserne Hochzeit" feiern. *And very few happy people can celebrate their Iron Wedding after 65 years together.*

erleben *to experience*

der Liebesbrief, -e *love letter*

Sie haben zugehört, wie wir gesungen haben. *They listened to us singing.*

zuhören *to listen*

Aber mich habt ihr nie mitsingen lassen. *But you never let me join in the singing.*

mitsingen *to join in the singing*

Meine Familie hat es Gott sei Dank akzeptiert. *Thank heavens my family accepted it.*

Gott sei Dank *thank heavens*

akzeptieren *to accept*

die Traumehe, -n *dream marriage*

Nur einmal, aber das war schnell vorbei. *Only once, but that was over quickly.*

vorbei *over*

Für die Denglers ist das offenbar kein Problem. *For the Denglers that is clearly no problem.*

offenbar *clearly*

stundenlang *for hours on end*

der Tanzsalon, -s *dance-hall*

der Erste Weltkrieg *First World War*

Als Schlosser hatte er damals nur einen kleinen Wochenlohn. *As a fitter he only had a little weekly wage.*

der Schlosser, - *fitter*

der Wochenlohn, ⁻e *weekly wage*

im Rückblick auf seine lange Ehe *looking back over his long marriage*

der Rückblick, -e *retrospect*

Seine 90-jährige Frau ist stolz auf ihren Eherekord. *His 90-year-old wife is proud of their marriage record.*

stolz *proud*

der Eherekord, -e *marriage record*

Das soll mir erst einer nachmachen! *Let's see someone else do that!*

nachmachen *to imitate*

Das Erinnerungsfoto stammt von der goldenen Hochzeit der beiden. *The souvenir photo dates from their Golden Wedding.*

das Erinnerungsfoto, -s *souvenir photo*

stammen *to date from*

Es war Liebe auf den ersten Blick. *It was love at first sight.*

die Liebe *love*

der Blick, -e *glance*

der Jurist, -en *lawyer*

Seine Liebeserklärung heute: ... *His declaration of love today: ...*

die Liebeserklärung, -en *declaration of love*

die längste Zeit der Trennung in über 60 Ehejahren *the longest separation in over 60 years of marriage*

die Trennung, -en *separation*

der Ehepartner, - *marriage partner*

Kürzen Sie den Text. *Shorten the text.*

kürzen *to shorten*

die Liebesgeschichte, -n *love story*

Ich bin 65 Jahre alt und fühle mich seit dem Tod meiner Frau sehr einsam. *I am 65 years old and since my wife died I feel very lonely.*

einsam *lonely*

die Dame, -n *lady*

die Nichtraucherin, -nen *non-smoker (female)*
der Tänzer, - *dancer*
ein schönes Haus im Grünen *a lovely house in the country*

Seite 119

die Rentner-Band, -s *pensioners' band*
gründen *to found*
die Pensionierung *retirement*
der Sozialarbeiter, - *social worker*
Afrika *Africa*
Hans Staiger gewinnt Volkslauf *Hans Staiger wins the cross-country race*
der Volkslauf *open cross-country race*
Kochen wie zu Großmutters Zeiten: Rentnerin organisiert Kochkurse *Cooking as in grandmother's days: pensioner organises cooking courses*
organisieren *to organise*
der Kochkurs, -e *cooking course*
Statt Altersheim: Mit 70 in die Wohngemeinschaft *Instead of an old people's home: sharing a flat at 70*
statt *instead of*
Vor zwei Jahren hat sie einen Verein für Leihgroßmütter gegründet. *Two years ago she founded a rent-a-granny club.*
die Leihgroßmutter, ⁼ *rent-a-granny*
Sie vermittelt ältere Damen an Familien, die eine Hilfe für die Hausarbeit brauchen. *She puts older ladies in touch with families who need help in the home.*
vermitteln *to place*
älter- *older*
Der Verein antwortet auf Anzeigen, die von jungen Familien aufgegeben

werden. *The club answers adverts which are placed by young families.*
eine Anzeige aufgeben *to place an advert*
Frau Heidenreich hat früher einen kleinen Jungen aus der Nachbarschaft betreut. *Frau Heidenreich used to look after a small boy from the neighbourhood.*
die Nachbarschaft *neighbourhood*
betreuen *to look after*
die Nachbarsfamilie, -n *family next door*
das Vereinsmitglied, -er *club member*
die Tätigkeit, -en *activity*
Der Verein bekommt von den Familien eine einmalige Vermittlungsgebühr. *The club gets a one-off placement fee from the families.*
einmalig *one-off*
die Vermittlungsgebühr, -en *placement fee*
Wenn es Probleme gibt, werden sie gemeinsam im Verein besprochen. *If there are problems, they are talked over together in the club.*
besprechen *to discuss*
der Zeitungsartikel, - *newspaper article*

Seite 120

Schau nur, Otto, da drüben, die jungen Leute! *Look, Otto, the young people over there!*
drüben *over there*
Ach, du meinst das Pärchen, das gerade zu uns rüberschaut? *Oh, you mean the couple that is looking at us just now?*
das Pärchen, - *couple*
rüberschauen *to look over*

Die in ihrem Alter, dass die sich nicht
schämen. *At their age, they should
be ashamed of themselves.*
sich schämen *to be ashamed*
das Schäfchen, - *little lamb*
der Humpelbock, ⁓e *hopalong*
im Gegenteil *on the contrary*
Dieses schreckliche Theater mit der so
genannten Liebe! *This dreadful
palaver with so-called love!*
so genannt *so-called*
aufstehen *to stand up*
fortgehen *to go out*
die Disco, -s *disco*
Und sie hat gesagt, dass sie nicht
versteht, warum er das dem Bob
erlaubt hat. *And she said she
couldn't understand why he let Bob
get away with it.*
erlauben *to allow*
Wie wär's mit einem Kuss? *How
about a kiss?*
der Kuss, ⁓e *kiss*
in aller Öffentlichkeit *in public*
die Öffentlichkeit *public*
deswegen *for that reason*

## Lektion 10

Seite 121

das Lexikon, Lexika *dictionary*
das Bilder-Lexikon *picture
dictionary*
das Kochbuch, ⁓er *cookery book,
cookbook*
die Zeitschrift, -en *magazine*
das Sachbuch, ⁓er *non-fiction book*

Seite 122

der Reime-Baukasten, ⁓ *rhyme
building kit*
der Reim, -e *rhyme*
das Boot, -e *boat*
der Sand *sand*
das Glas, ⁓er *glass*
zählen *to count*
die Wolke, -n *cloud*
Machen Sie aus den Sätzen kleine
Gedichte. *Make up short poems
from the sentences.*
das Gedicht, -e *poem*
Finden Sie auch einen Titel. *Also
find a title.*
der Titel, - *title*
Wenn Sie möchten, können Sie die
Sätze verändern. *If you wish, you
can alter the sentences.*
verändern *to alter*
vorbei *past*

Seite 123

der Herbsttag, -e *autumn day*
Wer jetzt allein ist, wird es lange
bleiben. *Whoever is now alone
will remain so for a long time.*
wird … bleiben *will … remain*
wachen *to lie awake*
die Allee, -n *avenue of trees,
boulevard*
hin und her *to and fro*
unruhig *restless*
treiben *drift*
wunderschön *wonderful*
die Knospe, -n *bud*
springen *to burst forth*
die Liebe *love*
aufgehen *to open up*
singen *to sing*
gestehen *to confess*

das Sehnen  *longing*
das Verlangen  *yearning*
die Vergänglichkeit  *transitoriness*
taumelbunt  *so colourful it makes you
  dizzy*
satt  *replete*
trunken  *drunk*
der Rauch  *smoke*
Vom Dach steigt Rauch.  *From the
  roof smoke rises.*
steigen  *to rise*
trostlos  *wretched*
die Harfe, -n  *harp*
vergehn = vergehen  *to wither away*
Nur diese Stunde bist du noch mein.
  *Only for this hour are you still mine.*

## Seite 124

die Buch-Boutique, -n  *book boutique*
die psychologische Gruppe
  *psychological group*
sexuelle Erfahrungen  *sexual
  experiences*
sexuell  *sexual*
der Gartenteich, -e  *garden pond*
streicheln  *to stroke*
der Koi  *koi, Japanese carp*
Kein Wunder  *no surprise*
empfindlich  *sensitive*
Ansprüche stellen  *to make demands*
Ein nützliches Buch für alle, die Koi
  halten wollen halten  *A useful book
  for all who want to keep koi*
ehemalig  *former*
grausam  *gruesomely*
die Ernährung  *food*
der Papst, -¨  *Pope*
der Jude, -en  *Jew*
das Getto, -s  *ghetto*
die persönliche Entwicklung  *personal
  development*
furchtbar  *dreadful*

der Schock  *shock*
das Drama, die Dramen  *drama*
das Kinderbuch, -¨er  *children's book*
das Gartenbuch, -¨er  *gardening book*
der Kriminalroman, -e  *thriller*

## Seite 125

die Herbstmilch *(Erklärung im
  Kursbuch auf Seite 128)*  *autumn
  milk (explained on page 128)*
Lebenserinnerungen *(Plural)*
  *recollections*
die Bäuerin, -nen  *farmer's wife*
geboren  *born*
(das) Niederbayern  *Lower Bavaria*
Als ältestes Mädchen muss sie in der
  großen Bauernfamilie die Hausfrau
  und Mutter ersetzen.  *As the oldest
  girl she had to replace the wife and
  mother in the large farming family.*
ersetzen  *to replace*
die Armut  *poverty*
Mit zwanzig Jahren heiratet sie ihre
  erste und einzige Liebe Albert
  Wimschneider.  *At the age of twenty
  she married her first and only love,
  Albert Wimschneider.*
einzig  *only*
die Liebe  *love*
das Militär  *army*
der Arbeitstag, -e  *working day*
Es ist keine Idylle vom fröhlichen und
  gesunden Landleben.  *It is no idyll
  of happy and healthy country life.*
die Idylle, -n  *idyll*
das Landleben  *country life*
die Belletristik  *fiction*
das Parfüm, -s  *perfume*
die Haut, -¨e  *skin*
die Mühle, -n  *mill*

der Landkreis, -e  *district, county*
der Osthang, ¨e  *East-facing slope*
das *oder* der Hektar  *hectar (approx.*
  *2.5 acres)*
drinnen  *inside*
bayerisch  *Bavarian*
herauskommen  *to come out*
die Haustüre, Haustür, -en  *front door*
die Badewanne, -n  *bath tub*
ausschütten  *to pour out*
das Blut  *blood*
Ihre Brust hob und senkte sich in
  einem Röcheln.  *Her breast rose
  and fell with a groan.*
sich heben  *to rise*
sich senken  *to fall*
atmen  *to breathe*
Im Bettstadl lag ein kleines Kind und
  schrie, was nur rausging.  *In the
  cradle lay a small child, crying for
  all it was worth.*
schreien  *to cry*
rausgehen  *to come out*
die Ernte, -n  *harvest*
die Feldarbeit  *work in the fields*
Da dachte der Vater, ich muss mir
  selber helfen.  *Father thought, I
  must look after myself.*
denken  *to think*
beibringen  *to teach*
in meinem Beisein  *in my presence*
Wenn sich's das Dirndl nicht merkt,
  haust du ihr eine runter.  *If the girl
  doesn't remember, give her a clip
  round the ears.*
sich merken  *to remember*
die Mehlspeise, -n  *dish made of
  flour, eggs and milk*
der Apfelstrudel  *apple strudel*
das Fischgericht, -e  *fish dish*

Milch und Kartoffeln und Brot
  gehörten zu unserer Hauptnahrung.
  *Milk, potatoes and bread were part
  of our staple diet.*
die Hauptnahrung  *staple diet*
die Abenddämmerung  *dusk*
heimkommen  *to come home*
das Schwein, -e  *pig*
Die kleinen Kinder konnten kaum
  erwarten, bis er fertig war.  *The
  small children could hardly wait
  till it was finished.*
erwarten  *to wait for something*
das Kanapee, -s  *couch*
der Hunger  *hunger*
übrig bleiben  *to be left*
Friss nicht so viel, es bleibt ja nichts
  mehr für die Sau.  *Don't eat so
  much, there will be nothing left for
  the sow.*
fressen  *to eat (colloquial and
  animals)*
weiblich  *female*
zerreißen  *to tear*
zwingen  *to force*
nähen  *to sew*

Wenn es mir dann gar zu viel wurde,
  ...  *If it really got too much
  for me, ...*
die Speisekammer, -n  *larder, pantry*
hinter die aufgeschlagene Tür  *behind
  the open door*
sich verstecken  *to hide*
sich ausweinen  *to cry one's eyes out*
Ich weinte so bitterlich, dass meine
  Schürze ganz nass wurde.  *I cried
  so bitterly that my apron got quite
  wet.*
bitterlich  *bitterly*

die Schürze, -n  *apron*
Mir fiel dann immer ein, dass wir keine Mutter mehr haben.  *I kept remembering that we no longer had a mother.*
einfallen  *to strike*
Dann hielt er bei meinem Vater um mich an.  *Then he asked my father for my hand.*
anhalten um  *to ask for the hand of the daughter*
um Erlaubnis bitten  *to ask permission*
die Heirat  *marriage*
die Arbeitskraft, ⁻e  *worker*
Meine Schwester konnte mich nicht so leicht ersetzen.  *My sister could not replace me so easily.*
ersetzen  *to replace*
Am 25. Juli 1939 wurde an Albert der Hof übergeben.  *On 25th July 1939 the farm was transferred to Albert.*
der Hof, ⁻e  *farm*
übergeben  *to transfer*
standesamtlich  *civil*
kirchlich  *church*
die Trauung, -en  *marriage ceremony*
das Hochzeitsfoto, -s  *wedding photo*
Das musste man schon von klein an gewöhnt sein, sonst hätte man das nicht ausgehalten.  *If one had not got used to that from an early age, one could not have stood it.*
aushalten  *to stand*
die Erntezeit  *harvest time*
der Einberufungsbefehl, -e  *call-up orders*
der Befehl, -e  *order*
die Gemeinde, -n  *community, village*
einzig-  *only*
der Nationalsozialist, -en  *National Socialist*
daheim  *at home*

die Schwiegermutter, ⁻  *mother-in-law*
Jetzt wo dein Mann nicht mehr hier ist, musst du bei mir in der Kammer schlafen.  *Now that your husband is no longer here, you must sleep in my room.*
die Kammer, -n  *small room, bedroom*
Mir war es gleich.  *It was all the same to me.*
gleich  *the same*
Um zwei Uhr morgens musste ich aufstehen, um ... mit der Sense Gras zum Heuen zu mähen.  *At two in the morning I had to get up to ... cut the grass with the scythe for hay-making.*
die Sense, -n  *scythe*
das Gras  *grass*
heuen  *to make hay*
mähen  *to mow*
Um sechs Uhr war die Stallarbeit dran.  *At six it was time to work in the stables.*
die Stallarbeit  *stable work*
dran sein  *to be the turn for*
Futter einbringen  *to bring in fodder*
das Vieh  *cattle*
herrichten  *to get ready*
hinaus  *out*

## Seite 128

im deutschsprachigen Raum  *in German-speaking countries*
deutschsprachig  *German-speaking*
Sie war früher ein häufiges Frühstück für arme Bauernfamilien in Bayern.  *It used to be a frequent breakfast for farming families in Bavaria.*
häufig  *frequent*
die Bibel, -n  *Bible*

Die Töchter baten die Mutter oft, ihre
Lebenserinnerungen aufzuschreiben.
*The daughters often asked their
mother to write down her
recollections.*
aufschreiben   *to write down*
die Lebensgeschichte, -n   *story of
one's life*
Dabei saß ihre Katze auf ihrem Schoß.
*While she was doing so, her cat sat
on her lap.*
der Schoß   *lap*
Wieso wurde aus dem privaten
Manuskript ein Buch?   *How did
this private manuscript become a
book?*
wieso?   *how?*
privat   *private*
das Manuskript, -e   *manuscript*
durch Zufall   *by chance*
der Zufall, -e   *chance*
der Lebensbericht, -e   *biography*
der Verleger, -   *publisher*
Anna Wimschneider hatte in ihrem
Leben große Armut erlebt.   *Anna
Wimschneider had known great
poverty in her lifetime.*
die Armut   *poverty*
erleben   *to experience*
die Bauersfrau, -en   *farmer's wife*
Für sich selbst gab sie nicht gerne Geld
aus, aber Schenken machte ihr
Freude.   *She did not like spending
money on herself, but she took a lot
of pleasure in giving.*
die Freude, -n   *pleasure*

Nanu!   *Well, well!*
Fangen Bücher jetzt auch schon an zu
rufen?   *Are books now starting to
call out?*
wozu?   *what for?*
Sei froh, dass ich dich in Ruhe lasse.
*Be glad that I am leaving you in
peace.*
froh   *glad*
Red keinen Unsinn!   *Don't talk
nonsense!*
der Unsinn   *nonsense*
Es sieht gut aus und macht einen guten
Eindruck.   *It looks good and
makes a good impression.*
der Eindruck   *impression*
Wir fangen an zu rütteln.   *We'll start
to shake*
rütteln   *to shake*
rucken   *to jerk*
zucken   *to twitch*
... bis wir aus dem Regal kippen und
auf den Boden fallen.   *... till we fall
off the shelf and onto the floor.*
das Regal, -e   *shelf*
kippen   *to tip*
Mein Gott, was seid ihr lästig.
*Goodness, you are getting tiresome.*
lästig   *tiresome*